LES 4Z

MARTIENS

ET BOULE DE GOMME SURETTE

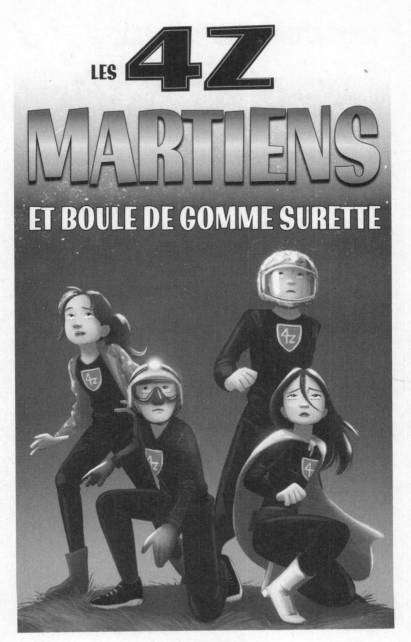

JULIE ROYER

Catalogage avant publication de Bibliothèque et Archives
nationales du Québec et Bibliothèque et Archives Canada

Royer, Julie, auteure

4Z, Martiens et boule de gomme surette / Julie Royer, auteure ;
Sabrina Gendron, illustratrice.

(Slalom)

Public cible : Pour les jeunes de 9 ans et plus.

ISBN 978-2-89709-249-8

I. Gendron, Sabrina, 1984-, illustratrice. II. Titre. III. Titre : Quatre Z,
Martiens et boule de gomme surette. IV. Collection : Slalom

PS8635.O955Q37 2018   jC843'.6   C2018-940360-8
PS9635.O955Q37 2018

© 2018 Boomerang éditeur jeunesse inc.
Tous droits réservés. Aucune partie de ce livre ne peut être
copiée ou reproduite sous quelque forme que ce soit sans la
permission de Copibec.

Auteure : **Julie Royer**
Illustratrice : **Sabrina Gendron**
Graphisme : **Julie Deschênes et Mika**
Illustrations complémentaires : **Mika**

Dépôt légal – Bibliothèque et Archives nationales du Québec,
2ᵉ trimestre 2018

ISBN 978-2-89709-249-8

Gouvernement du Québec – Programme de crédit d'impôt
pour l'édition de livres – Gestion SODEC

Boomerang éditeur jeunesse remercie la SODEC pour l'aide
accordée à son programme éditorial.

Imprimé au Canada

Financé par le
gouvernement
du Canada

ASSOCIATION
NATIONALE
DES ÉDITEURS
DE LIVRES

Nom :

BÉATRICE
ROUGEAU-PAULIN

Âge :

12 ANS

Fonctions :

★ ÉLÈVE À L'ÉCOLE DES ÉTOILES
SAVANTES, UN ÉTABLISSEMENT
VOUÉ AUX ARTS ET AUX SCIENCES

★ FAIT PARTIE DU GROUPE 603

★ RÉDACTRICE EN CHEF DU
JOURNAL DE L'ÉCOLE LA GAZETTE
DES ÉTOILES SAVANTES

Nom de code :

ALPHA-BÉA

Particularité :

DOUÉE EN FRANÇAIS, LES JEUX
DE MOTS N'ONT PAS DE SECRET
POUR ELLE

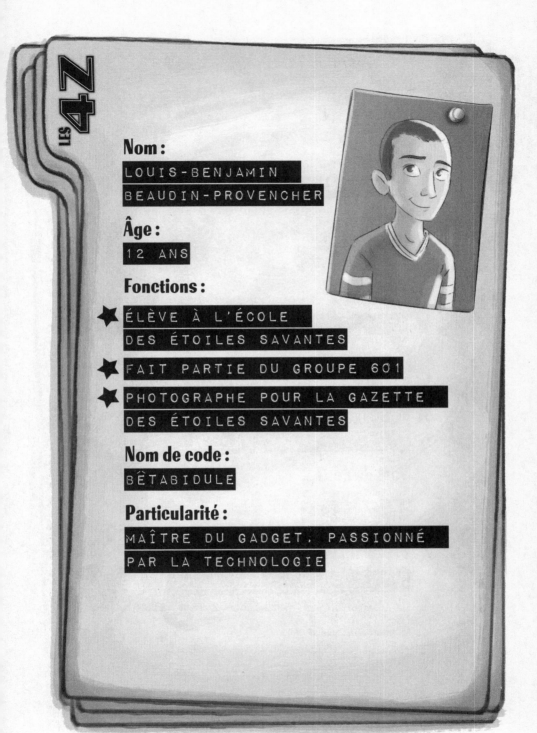

LES 4Z

Nom :
LOUIS-BENJAMIN
BEAUDIN-PROVENCHER

Âge :
12 ANS

Fonctions :

★ ÉLÈVE À L'ÉCOLE
DES ÉTOILES SAVANTES

★ FAIT PARTIE DU GROUPE 601

★ PHOTOGRAPHE POUR LA GAZETTE
DES ÉTOILES SAVANTES

Nom de code :
BÊTABIDULE

Particularité :
MAÎTRE DU GADGET, PASSIONNÉ
PAR LA TECHNOLOGIE

5

Nom :

MAY-LEE BINETTE

Âge :

11 ANS 3/4

Fonctions :

★ ÉLÈVE À L'ÉCOLE DES ÉTOILES SAVANTES

★ FAIT PARTIE DU GROUPE 602

★ JOURNALISTE CULTURELLE POUR LA GAZETTE DES ÉTOILES SAVANTES

Nom de code :

GAMMASCARA

Particularité :

ARTISTE DU DÉGUISEMENT

Nom :

ERBY LOISEAU

Âge :

12 ANS

Fonctions :

★ ÉLÈVE À L'ÉCOLE DES ÉTOILES SAVANTES

★ FAIT PARTIE DU GROUPE 604

★ JOURNALISTE SPORTIF POUR LA GAZETTE DES ÉTOILES SAVANTES

Nom de code :

DELTA-DERBY

Particularité :

C'EST LE CASCADEUR DE L'AGENCE

ENSEMBLE, ILS FORMENT
LES ZALPHAJUSTICIERS !

LEURS RAISONS D'ÊTRE :
A : À L'AFFÛT DE L'ACTION
B : BARRER LA ROUTE AUX MALFAITEURS
C : CAMÉLÉONS PROTECTEURS DU CITOYEN
D : DÉFIER LES DANGERS, DÉCOUVRIR
ET DÉVOILER LA VÉRITÉ

LA TERRE APPELLE LA LUNE

Lundi, 7 h 38,
local du journal étudiant

— **PA-RÉS-AU-DÉ-COL-LA-GE**.
Cinq-qua-tre-tr-ois-deux-un…

Les **4Z** assistent, impressionnés, aux prodiges de **BÊTAROBOT** : non seulement l'automate parle et fait entendre des sons d'ambiance, mais ses yeux projettent sur le mur les images de la mise à feu d'une fusée.

— **C'est Apollo 11**, précise Louis-Benjamin, la première fusée à avoir envoyé des hommes sur la Lune. C'était **le vingt juillet mille neuf cent soixante-neuf**. J'ai trouvé des images sur le Web. Je les ai jointes à un enregistrement que j'ai concocté et que j'ai implanté dans la mémoire de Bêtarobot.

Béatrice tire un stylo de sa queue de cheval et ouvre son calepin.

— **Bravo**, Louis-Benjamin. Ça commence bien la réunion ! Alors, de quoi parlerons-nous dans la prochaine édition de *La Gazette des étoiles savantes* ?

La jeune fille sort une liasse de feuilles d'une chemise en carton.

— Pour ma part, je pensais présenter un compte rendu de la nuit à laquelle nous participerons à l'observatoire, vendredi. J'ai d'ailleurs déniché des informations intéressantes au sujet de cet endroit dans le journal de la ville. J'y ai entre autres appris que le télescope qui s'y trouve a été construit il y a cinquante ans par un couple **D'OVNIOLOGUES**, Léon et Mathilda Therrien-Cinq-Mars.

— **DES OVNIOLOGUES?** répète May-Lee.

— Des gens qui s'intéressent aux **ovnis**, aux **extraterrestres**...

— **SÉRiEUX ?** Il y a des gens qui croient à ces choses ?

— On dirait bien. Selon le journal, le couple aurait déjà vu une soucoupe volante, un soir, au-dessus de la colline, à l'autre bout de la ville. C'est la raison pour laquelle ils auraient décidé de construire un télescope à cet endroit.

— Un ovni dans le ciel de la ville ? Moi, j'y crois, répond Delta-Derby. Dans l'émission *Impossible, vous dites ?,* on racontait cette semaine qu'à travers le temps, dans différentes parties du monde, plusieurs personnes ont affirmé avoir aperçu des objets **étranges**, dans le ciel, la nuit.

Parfois, on parle de taches blanches ovales, ou de triangles lumineux.

— **FRANCHEMENT !** Vous croyez vraiment que des **MARTIENS** auraient un jour survolé notre ville ? demande May-Lee avec un sourire incrédule.

— Je l'ignore, répond Béatrice en haussant les épaules. L'Univers est **infini** et, en tant que journaliste, je reste ouverte à **TOUTES** les possibilités. Et toi, sur quoi travailleras-tu ?

May-Lee jette un œil à l'énorme étoile en plastique vert qu'elle porte à l'index droit. Elle appuie dessus. L'astre se met à clignoter.

— Inspirée par le nouveau disque d'Irma Hata, la chanteuse espionne, j'ai pensé créer une chronique astrologique.

Delta-Derby glousse, moqueur.

— L'horoscope! **POUAH!** On ne peut pas prédire l'avenir en se fiant à des étoiles!

May-Lee se rebiffe.

— Ah non? Si tu ne crois pas à l'astrologie, peux-tu me dire pourquoi tu crois aux **extraterrestres**?

— Parce que les extraterrestres, **ÇA SE PEUT!**

Béatrice coupe court aux chamailleries de ses amis :

— Justement, je me demande bien sur quoi portera ta prochaine chronique, Erby.

— Je vais présenter des livres dont les sujets sont l'espace et les **extraterrestres**. J'ai déjà dressé la liste des documents dont j'aimerais parler. Elle est dans mon sac, je pourrais t'en remettre une copie.

En se levant pour aller chercher son sac à dos, posé sur une table à l'autre bout du local, le garçon grimace de douleur.

— Ça va ? demande Béatrice.

— **MMOUAIS...**, bredouille-t-il en boitillant pour traverser la pièce. Je me suis blessé en jouant avec mon frère, hier, au terrain de jeu. J'escaladais un module. J'étais rendu au sommet quand j'ai perdu l'équilibre. Je suis tombé et j'ai atterri directement sur le gros orteil.

— **OUCH!** s'exclame Louis-Benjamin, les traits crispés.

— Est-ce que ton orteil est cassé? demande Béatrice.

— Je ne pense pas. Par contre, mon ongle est **TOUT NOIR**. Voulez-vous le voir?

— **BEURK !** Non ! s'écrie May-Lee, dégoûtée.

Béatrice prend la liste que lui tend Erby. Elle se tourne ensuite vers Louis-Benjamin.

— Peux-tu nous dire de quoi tu parleras dans le prochain numéro du journal ?

Le garçon éteint son automate.

— Je compte présenter les résultats des expériences que feront les élèves de mon groupe, cette semaine, dans le cours de sciences. Je vous parlerai également de mon invention, **BÊTAMOUCHE**, un drone qui a la taille d'une mouche et qui peut

donc se glisser là où Bêtarobot ne le peut pas. Comme elle vole, elle peut prendre des **images assez intéressantes**.

Les journalistes scrutent le robot ailé, qui tient dans le creux de la paume de son inventeur. Tandis que celui-ci manipule son cellulaire d'une main, le drone s'envole, fait un tour du local et revient se poser délicatement sur son bras.

— **WOW!** s'exclament les **ZALPHAS**, soufflés par le génie de Louis-Benjamin.

— C'est rien, répond-il en rougissant. Je vais bientôt connecter vos écrans au mien pour que vous puissiez voir, vous aussi, les images captées par Bêtamouche. Ce sera **très pratique** pour nos enquêtes.

Le scientifique enchaîne en parlant des projets de ses camarades de classe. Son discours est ponctué de mots tels « aimants », « sable », « poussière d'étoiles », « Ariétides »…

Bientôt, Louis-Benjamin constate que Béatrice ne prend plus de notes. Elle fixe plutôt la fenêtre du local, qui donne sur le stationnement de l'école. Visiblement, elle ne l'écoute pas. Gentiment, il la rappelle à l'ordre :

— **Béa !** La Terre appelle la Lune !

La rédactrice en chef sursaute.

— **HAN ?**

— Tu étais loin.

— Désolée, répond Béatrice. Je pensais à madame Nathalie. Habituellement, elle arrive tôt et je ne l'ai pas vue ce matin. Elle était censée nous montrer comment fabriquer un **cherche-étoiles** aujourd'hui.

La cloche sonne, interrompant la réunion. Les journalistes se lèvent. Béatrice referme son calepin et remet son crayon dans sa queue de cheval.

— Chose certaine, le prochain numéro de *La Gazette des étoiles savantes* sera **exceptionnel**, encore une fois, grâce à vous. On se voit au repaire à la récréation ?

Les jeunes hochent la tête.

— Alors, bon travail, les **Z**.

— **À plus !**

☆ Bélier ☆

Faites vos bagages.
Vous vous apprêtez à vivre
une grande aventure. Vous êtes
né sous une bonne étoile.
Le ciel est à votre portée.

OH-OH...

8 h 7

603

Comme elle le craignait, Béatrice constate l'absence de madame Nathalie en entrant dans sa classe. Un **INCONNU** se tient à sa place, debout devant son bureau. Il porte un habit comme elle n'en avait encore jamais vu. Son pantalon, noir et très moulant, laisse deviner d'interminables et **MAIGRES JAMBES**. Quant à son veston, en velours gris et pourvu d'un collet disproportionné, il descend jusqu'à mi-cuisse et se ferme sur le côté à l'aide d'une longue fermeture à glissière. **« On dirait qu'il vient de l'espace »**, pense Béatrice.

— Je m'appelle Sergio. Je vais passer la journée avec vous.

Plus le suppléant parle, détaillant le plan du jour, et plus Béatrice sent grandir en elle un **MAUVAIS PRES-SENTIMENT**. « Je ne sais pas pourquoi, mais j'ai l'impression qu'il va passer plus d'un jour ici. »

602

— **Bonjour !** Ce matin, explique madame Manon, nous avons un

nouveau stagiaire. Il s'appelle Martin et il connaît très bien les étoiles.

— Oui, dit-il en affichant un sourire éblouissant. L'été dernier, j'ai participé à un **camp spatial**, alors je m'y connais un peu en astronomie.

Voyant dans ce hasard un signe de bon augure, Gammascara demande :

— Monsieur Martin, quel est votre signe astrologique ?

— Scorpion.

— Comme dans la chanson d'Irma Hata !

— **PARDON ?**

— **MAIS OUI!** Elle tourne à la radio au moins quinze mille fois par jour!

Et, devant la classe amusée, elle entonne le succès de son idole :

Scorpion,
ascendant Lion

Tu as fait basculer
ma constellation

Monsieur Martin, qui ne reconnaît pas la pièce, s'excuse.

— J'ignore qui est Irma Hata. Par contre, je sens que je vais faire plein de découvertes, grâce à vous, dans les prochaines semaines!

May-Lee croise les bras. « Incroyable !
On ne peut pas ne pas connaître la
chanteuse espionne ! Il vient de quelle
PLANÈTE, monsieur Martin ? »

601

— Cette semaine, dit madame Lise,
nous visiterons **l'observatoire** de
la ville et chacun pourra utiliser le
télescope. Comme vous le savez, cet
instrument sert à scruter l'espace.
Justement, imaginez que nous décou-
vrions des planètes, aux confins de
l'espace. Comment seraient leurs
habitants ? Comment vivraient-ils ?
À quoi ressembleraient leurs moyens
de transport ? Nous allons créer une
exposition sur ce thème.

La proposition de madame Lise stimule l'inventivité de Louis-Benjamin. « Pour répondre à ces questions, j'aimerais aller à la rencontre de ces habitants, capter des images de leur univers. Pour ce faire, il me faudrait une caméra volante puissante, résistante, légère et autonome d'un point de vue énergétique. Idéalement, elle devrait pouvoir se poser partout, comme la **BÊTAMOUCHE**. »

Le garçon se met aussitôt à penser à la possibilité qu'un jour il puisse envoyer son minidrone dans l'espace. **Pourquoi pas ?** Comme le répète souvent madame Lise, rien n'est impossible quand on fait preuve de créativité !

Les élèves du groupe d'Erby entrent en silence à la bibliothèque. Il les suit en boitillant, souhaitant emprunter tous les livres qu'il trouvera sur les extraterrestres. Il se passionne pour ce sujet depuis qu'il a vu, l'autre jour, à *Impossible, vous dites?*, un reportage dans lequel on racontait que des **EXTRATERRESTRES** s'étaient déjà écrasés dans le désert, aux États-Unis. On avait pour preuves des pièces de leur vaisseau, pulvérisé à son entrée dans l'atmosphère. On avait aussi retrouvé des morceaux de vêtements faits en ce qui semblait être de l'aluminium. Et puis, on avait découvert la **DÉPOUILLE** d'un extraterrestre, qu'on avait transportée dans un laboratoire secret pour la soumettre à toutes sortes de tests. Ce spécimen avait un visage anguleux, caoutchouteux, verdâtre, avec des **YEUX IMMENSES** en amande, qu'on aurait dits remplis de jello au raisin.

Erby frissonne en repensant à ces images. «Est-ce que cet extraterrestre était **VRAIMENT MORT?** Était-il seul à bord de son vaisseau? Avait-il des compagnons qui, eux, avaient survécu à l'écrasement? Si oui, étaient-ils cachés quelque part, sur la Terre, à chercher un moyen de retrouver leur planète? Où se trouvait-elle? Et si, au contraire, ils étaient venus s'installer chez nous? Et si c'était leur vaisseau qu'on avait déjà vu dans le ciel de la ville?»

BIZARRE,
VOUS AVEZ DIT BIZARRE ?

10 h

Cling ! Dring ! Zzz !

Alpha-Béa

> Qu'est-ce que vous faites ?
> Je vous attends au QG !

Bloop ! Cling ! Zzz !

Delta-Derby

> Je fais aussi vite que mon
> gros orteil me le permet.

Bloop ! Dring ! Zzz !

Gammascara

J'arrive !

Bloop ! Cling ! Dring !

Bêtabidule

Je suis en route.

Quand ils se présentent au repaire, une table à pique-nique au fond de la cour, Béatrice, crayon à la main, fait des mots croisés.

— Savez-vous où se trouve la mer de la Tranquillité ?

— Je ne sais pas, répond Erby. Mais ça ne semble pas être une destination vacances bien **EXCITANTE**.

— D'après moi, enchaîne May-Lee, en collant une étoile brillante sous son œil droit, ça doit être une plage où les vagues sont douces et où il n'y a jamais de tempêtes.

— En fait, il n'y a pas de vagues, dans cette mer. D'après mes recherches, répond Louis-Benjamin en consultant *Wikipédia*, c'est là qu'auraient marché les hommes quand, pour la première fois, ils ont posé le pied sur la Lune.

— Merci, Louis-Benjamin, répond Béatrice en remplissant les cases de son mot croisé.

L-U-N-E. Elle referme son cahier.

— C'est confirmé : madame Nathalie est absente. Monsieur Sergio la remplace. Je ne l'avais encore jamais vu à l'école. Il est habillé comme s'il jouait dans un film de **science-fiction**. En plus, il est **LUNATIQUE**. Il a fallu que je lui demande à trois reprises s'il voulait que je ramasse les agendas avant qu'il réagisse. Je ne sais pas à quoi il pensait…

Elle ouvre un dossier dans sa tablette et consulte un document.

— À la première période, monsieur Sergio nous a laissé travailler à nos projets personnels. J'en ai donc profité pour lire le témoignage du couple Therrien-Cinq-Mars au sujet de **L'OVNI** qu'ils auraient vu dans le ciel de la ville. Selon eux, il avait la forme d'un cigare blanc avec une aura lumineuse verdâtre. L'objet volait rapidement en effectuant une spirale, du bas vers le haut, avant de disparaître dans la nuit.

— C'était peut-être des extraterrestres en train de sonder notre planète ! s'écrie Erby. Dans un livre intitulé *Les extraterrestres : partout depuis toujours*, on raconte en effet qu'à travers l'histoire, dans toutes les civilisations, des humains ont représenté des **vaisseaux** de toutes formes associés à des êtres ayant de grosses têtes, des antennes et de longs pieds. On a retrouvé ces portraits gravés dans la pierre, peints dans des **pyramides**, sur des peaux.

— Mais, intervient May-Lee, les illustrations dont tu parles prouvent-elles que les extraterrestres existent ou plutôt que les hommes, de tout temps, ont eu une imagination débordante ?

— Je ne sais pas, répond Erby, piqué au vif. Tu trouveras peut-être la réponse en lisant le **zodiaque** !

Insultée, May-Lee se met à agiter furieusement une bouteille de vernis à ongles vert, comme celui que porte Irma Hata dans son nouveau film, *Planète Mystère*.

— **QUOI DE NEUF** de ton côté ? demande Béatrice à Louis-Benjamin.

Le garçon évoque le projet proposé par son enseignante, qui lui a fait entrevoir la possibilité d'envoyer **BÊTAMOUCHE** encore plus loin qu'il le pensait au départ.

May-Lee raconte ensuite :

— Chez nous, on a un nouveau stagiaire et je pense qu'il vient d'une autre planète. Il ne connaît pas la chanteuse espionne ! **BIZARRE**, vous dites ?

Ses amis éclatent de rire. En effet, personne ne connaît mieux Irma Hata que May-Lee Binette !

La cloche sonne. En se levant, la jeune fille ajoute :

— En plus, il paraît qu'il a participé à un camp spatial!

— Intéressant, dit Béatrice, qui sort à nouveau son calepin et note l'information. On pourrait le consulter si jamais on a des questions pour le journal. On se revoit ce midi?

Louis-Benjamin et May-Lee acquiescent.

— Une réunion? **Génial!** dit Erby. J'ai justement besoin d'action! Aïe! Ne partez pas si vite! Attendez-moi! **OUCH! OUCH!**

ET SI...

11 h 2

604

Erby sort du secrétariat en clopinant, avec, dans les mains, des photocopies pour monsieur Yves. Le garçon songe aux révélations de Béatrice concernant l'ovni qui aurait déjà **survolé la ville**. «Si on pouvait prouver la venue d'extraterrestres chez nous, on passerait à *Impossible, vous dites?* Les **4Z** seraient peut-être même engagés à la NASA!»

La tête tout à ses projets, Erby met soudainement le pied dans quelque chose de collant. « **OUACH !** On dirait de la glue étendue sur un carton ! Quel génie a eu l'idée de jeter ça dans le corridor ? »

Le garçon lève le pied. Un gros filament se forme sous sa semelle. En sautillant sur son pied valide, il se rend jusqu'à un banc où il s'assoit, décolle le carton de sa semelle et entreprend de la gratter avec une branche qu'on a probablement voulu lancer dans le bac à déchets organiques et qui est tombée juste à côté. « **C'EST DÉGUEULASSE**, grommelle-t-il en enroulant sur la branche la matière vert pomme, pleine de petites perles vert foncé. Je n'arriverai jamais à tout enlever, ça s'étire sans arrêt! Mais qu'est-ce que c'est? De la tire? De la pâte? De la gomme? Du jujube? On est ici face à de la MCNI: de la Matière Collante Non Identifiée. **GRRRR!**»

602

11 h 5

Étant donné que madame Manon a une réunion, elle a laissé les élèves en compagnie de monsieur Martin, qui leur a demandé de dessiner un extraterrestre.

— Tous les groupes vont participer à cette activité, explique-t-il en passant des feuilles à la ronde. On va afficher vos œuvres sur les babillards des corridors. Je parie qu'il n'y aura pas deux dessins pareils.

Au bout d'une demi-heure, monsieur Martin ramasse les travaux des élèves.

— Tiens, un **ROBOT-PIEUVRE**… pas mal !

Il en sort un autre de la pile et le tourne vers les élèves.

— Un bonhomme en gommette avec des yeux lampes de poche. **WOW !**

Il sourit en remettant le dessin dans la pile.

Un élève lève la main.

— **ET VOUS**, monsieur Martin ? Comment imaginez-vous les extra-terrestres ?

Le stagiaire s'assoit sur le bout du bureau et réfléchit quelques instants.

— Je pense que les extraterrestres nous ressemblent.

La réponse du stagiaire rappelle à May-Lee *Planète Mystère*, dans lequel Irma Hata joue son propre rôle. Dans ce film, l'artiste espionne est envoyée dans l'espace à la recherche d'un **agent secret**. Celui-ci est en fait un extraterrestre. C'est ce que l'héroïne découvre au cours d'une scène où l'espion se défait de sa peau, comme s'il s'agissait d'une combinaison.

Sous le déguisement se trouve un être transparent recouvert de petits morceaux de miroir qui scintillent sous les projecteurs. Pendant cette scène, Irma Hata chante :

Tu as laissé ta peau tomber

Pour dévoiler la vérité

Maintenant, dis-moi : qui es-tu ?

De quelle planète viens-tu ?

TOUT À COUP, la jeune fille est prise d'un doute : « Si Irma Hata dit que les extraterrestres existent et qu'elle en a déjà rencontré un, c'est qu'ils doivent exister **pour vrai !** Et si, comme le prouvent nos dessins, ils adoptaient plusieurs formes, ils pourraient aussi prendre l'apparence des humains. Ainsi, ils vivraient **INCOGNITO** parmi nous, dans la peau d'enfants, de cuisiniers, de concierges ou même... de stagiaires en enseignement!»

11 h 16

601

Avec l'accord de son enseignante, Louis-Benjamin lâche sa Bêtamouche dans le corridor afin de tester la stabilité de son **DRONE**, de capter des images et d'enregistrer des sons. Des écouteurs sur les oreilles, son cellulaire en main, il assiste au décollage de son invention.

ZZZZZZZZZZ! La mouche robotisée file dans le corridor, tourne un coin, frôle la tête d'un élève qui lève les yeux, intrigué par le bourdonnement émis par le drone. Puis, l'automate passe devant la classe de musique. **OUILLE!** C'est la cacophonie! Le groupe 103 joue de la flûte! Louis-Benjamin enregistre quelques mesures d'*Au clair de la lune*, afin de tester la qualité du son.

ZZZZZZZ! Bêtamouche passe ensuite devant l'infirmerie, devant la salle des profs. Sa porte est fermée. Or, il en sort de **drôles de bruits**. Comme des vibrations. On dirait des ondes. Des aiguës. Des basses. Encore des aiguës.

Intrigué, Louis-Benjamin a le temps d'enregistrer un court échantillon sonore avant que la pile de son drone tombe à plat. **POUF !** L'automate pique du nez. «Oh non! Il faut que je récupère mon robot avant que quelqu'un l'écrase!»

Le temps d'obtenir la permission de son enseignante et de se rendre à l'autre bout de l'école, Louis-Benjamin se retrouve devant une salle des enseignants vide. Quant à Bêtamouche, elle est tombée juste à côté de la porte. **Par chance**, personne n'a mis le pied dessus. «J'ai hâte de faire entendre les sons aux Zalphas. Ils font penser aux films dont raffole Erby.»

603

— On va maintenant se détendre, annonce monsieur Marc, l'enseignant d'éducation physique. Étendez-vous sur les tapis, j'ai une **surprise** à vous montrer.

Pendant que Béatrice et ses camarades s'installent, l'enseignant met un disque de musique relaxante dans le lecteur. Il ferme ensuite les lumières. Des murmures émerveillés s'élèvent aussitôt. Durant ses temps libres, l'enseignant a collé des centaines **d'étoiles fluorescentes** au plafond.

— **C'est beau, hein ?** Maintenant, concentrez-vous sur ma voix. Votre corps est lourd, très lourd…

Si Béatrice a quelque chose de lourd, c'est bien sa tête, qui est remplie de questions au sujet de l'article qu'elle a lu dans le journal. «Il doit bien y avoir une explication logique à l'objet qu'ont vu les **OVNIOLOGUES**. Tout le monde le sait, les histoires d'extraterrestres, on n'en voit qu'au cinéma. Pourtant, si, comme dans les légendes, il y avait une part de vrai dans les témoignages de gens ayant assisté à des phénomènes inexpliqués?»

5
UNE NOUVELLE ENQUÊTE

Quand May-Lee se présente à la table, après avoir fait chauffer sa crème de poireaux au four à micro-ondes, Béatrice fait des mots croisés. Elle lève la tête à l'arrivée de son amie.

— D'après toi, qu'est-ce que signifie l'acronyme **« OVNI »** ?

— Je ne sais pas, répond May-Lee, qui a attaché une longue mèche verte à sa chevelure. « Oiseau violet nasillard indécis ? » « Orchidée velue nourrie intensément ? »

— **Objet volant non identifié**, répond Erby, qui se laisse tomber sur un banc, à côté de May-Lee.

— **EXACTEMENT !** Merci, Erby !

Tandis que Béatrice noircit les cases de son jeu, Erby sort de petits paquets en aluminium de son sac à lunch.

— Qu'est-ce que c'est ? demande Louis-Benjamin en se joignant au groupe.

— Ce sont des rations d'aliments Stellaire, commanditaire officiel de l'émission *Impossible, vous dites?* C'est simple : on fait chauffer le sac, on y

plante une paille et on boit le repas.
Il y en a pour tous les goûts, comme
le veut la chanson…

Un hamburger et des frites

C'est délicieux, même en orbite

Avec les aliments Stellaire

C'est si bon qu'on ne touche
plus terre

Les meilleurs repas de
la Voie lactée

C'est chez votre épicier que
vous les trouverez

Les aliments Stellaire défient
la gravité

— **OUAIS**, répond Gammascara, peu convaincue. As-tu goûté aux biscuits aux pépites ? **MOI, OUI !** De la purée de pâtisserie, c'est ordinaire, comme expérience culinaire.

— N'empêche, rétorque Erby, c'est bon de manger comme si on était dans l'espace. Dans la publicité, on nous montre que les aliments Stellaire sont si populaires que des extraterrestres se posent sur un supermarché pour s'en procurer. **Sluuuuuuuuuurp !** Le pâté chinois est excellent. Voulez-vous y goûter ?

— **Non merci**, répond Louis-Benjamin, en manipulant son cellulaire. Au cours de la dernière période, Bêtamouche est passée devant la porte du salon des enseignants et elle a enregistré ceci…

Il appuie sur le bouton « jouer ».

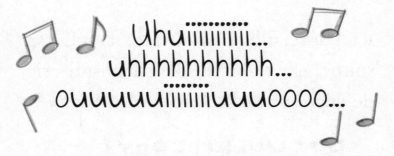

— **Heille !** s'écrie Erby. Ça fait penser à *L'attaque des ventouses* ! Dans ce film, des Blusiblops, bibittes gluantes venues de l'espace, attaquent la Terre. Ils veulent **conquérir** la planète et la couvrir de ventouses. Quand ils avancent, ces monstres font « poc, souiche, poc, souiche, poc, souiche… »

May-Lee s'apprête à porter une cuillérée de soupe à sa bouche, quand Erby lui met les doigts dans les côtes.

— **POC !**

La jeune fille tressaute et crache sa soupe au visage de Béatrice, qui crie de dégoût et de colère.

— **ARGHHHH ! ERBY !**

— Désolé, répond le garçon, gêné, en tendant une serviette de table à son amie. **Mais, euh...** si tu permets, les Blusiblops paralysent justement leurs victimes en leur balançant au visage une matière qui tient à la fois de la crème de poireaux... et de la gomme qui s'est collée sous mon pied, plus tôt...

Le garçon enlève son soulier pour montrer sa semelle à ses amis. Là, c'est au tour de May-Lee de crier. À cause de lui, de ses **HISTOIRES RÉPUGNANTES** et de l'odeur de son espadrille, elle n'a plus d'appétit. En plus, elle a sali son beau chandail à paillettes!

Une surveillante à la **MINE SÉVÈRE** se présente à leur table.

— On vous entend jusqu'à l'autre bout de la salle. **CALMEZ-VOUS** et parlez moins fort. Et vous, les filles, allez aux toilettes pour vous nettoyer.

Les filles jettent des regards courroucés à Erby avant de quitter les lieux. Elles sont rendues devant la classe de

May-Lee quand elles entendent des bruits inhabituels. Curieuses, elles s'arrêtent pour écouter.

Bup. Bup. Mip-bip. Mip-bip. Bup-bip-mup. Bup-bip-mup...

— C'est curieux, chuchote Béatrice. Ça ne ressemble pas à l'échantillon de Louis-Benjamin, mais...

— Je me demande ce que c'est, souffle May-Lee. Dommage que madame Manon ait collé un carton noir dans la fenêtre de la porte, ce matin, pour nous montrer un film sur les étoiles filantes. À cause de ça, on ne peut rien voir.

Les deux filles, le visage maculé de vert, échangent un regard **intrigué**.

* * *

De retour à la cafétéria, les filles racontent aux garçons ce dont elles ont été témoins.

— Il se passe des choses **INSOLITES** ici aujourd'hui, affirme Béatrice : les bruits captés par Bêtamouche, ceux que nous venons d'entendre… **BIZARRE**. Juste après avoir lu l'article de journal au sujet de l'ovni…

— Et si, justement, suggère Louis-Benjamin, des extraterrestres avaient déjà **véritablement** survolé notre ville ?

— Pour le savoir, il faudrait ouvrir **une enquête**, dit May-Lee.

— **OUI !** s'exclame Erby, avant de tirer, à l'aide d'une paille, une gorgée de pouding chômeur Stellaire. Comment on va titrer notre dossier ? Qu'est-ce que vous diriez d'« opération Ventouse » ? **SLUUUUURP !**

✪ Taureau ✪

L'incroyable est sur le point de se produire. Attachez votre ceinture. Vous vous apprêtez à entrer dans une zone de turbulences.

6

INDICES ET FAITS INSOLITES

13 h 13

602

May-Lee pense au nouveau dossier des **Z**, tandis que monsieur Martin, un pointeur laser à la main, explique le **cycle de la Lune** en faisant défiler des illustrations sur un tableau interactif. **SOUDAIN**, la voix du stagiaire la fait sursauter.

— **HÉ ! HO !** May-Lee ?

La jeune fille lève la tête. Tout le monde la regarde. Gênée, elle reporte les yeux sur le stagiaire en pensant : « Est-ce lui qui produisait les sons, tantôt, caché derrière le carton noir ? À l'aide de quel instrument ? » Et soudain, son imagination s'emporte : « Qui est-il, en réalité ? Un vrai stagiaire humain ou un **MUTANT EXTRAGALACTIQUE ?** C'est vrai ! Il ne connaît pas la meilleure musique au monde, il s'intéresse à l'astronomie… »

— May-Lee… peux-tu redescendre des étoiles ?

Madame Manon lève la tête de l'écran de son ordinateur et lance un regard sévère à May-Lee, qui s'excuse et reporte, en apparence, son attention sur monsieur Martin. Toutefois, la jeune **agente secrète** se demande comment le stagiaire a su qu'elle pensait précisément à l'espace. « Il a peut-être appris à faire de la **télépathie** au camp spatial. Ou alors il avait déjà le pouvoir de lire dans les pensées à sa naissance. **OH !** Il me fixe. Mieux vaut rester prudente. »

603

Béatrice prend un nouveau calepin. Sur la couverture, elle écrit : « Opération Ventouse ». À l'intérieur, elle note :

LISTE D'INDICES LAISSANT SUPPOSER UNE POSSIBLE PRÉSENCE EXTRATERRESTRE EN VILLE

· Apparition d'un ovni dans le ciel de la ville, il y a cinquante ans

----

FAITS INSOLITES SURVENUS À L'ÉCOLE

· Échantillon sonore de Bêtabidule, ce matin

· Sons étranges provenant de la classe de Gammascara, ce midi

En rangeant son calepin, la jeune fille a une pensée pour son enseignante, qui est si rarement absente.

Le suppléant l'interpelle.

— **BÉATRICE**, veux-tu mettre les invitations pour la sortie de vendredi dans les agendas des élèves, s'il te plaît?

L'adolescente, qui aime rendre service, accepte. Elle commence à placer les feuilles dans les carnets, quand monsieur Sergio vient la voir.

— Qu'est-ce que **TU FAIS?**

— Je glisse les feuilles dans les agendas.

— Ce n'est pas **COMME ÇA** qu'il faut faire.

— Avec madame Nathalie, on met la feuille entre les pages.

— Ce n'est pas comme ça qu'on fait *chez nous*, répond le suppléant en s'emparant d'une boîte de trombones. On veut que les documents soient **SOLIDEMENT** agrafés, qu'ils résistent au *voyage*.

Pour montrer l'exemple, monsieur Sergio agrafe une invitation à la page d'un carnet. C'est à ce moment que Béatrice voit qu'il a des **taches vertes** sur les avant-bras!

— Est-ce que ça va?

— Oui, répond l'élève en détournant vivement le regard.

Quand elle a fini de remettre les carnets à ses camarades, Béatrice ressort son calepin et ajoute, sous la liste des faits insolites :

- Monsieur Sergio parle de « chez lui », comme s'il venait d'ailleurs, et de « voyage ».

- Il a des taches vertes sur les bras.

604

En début de période, monsieur Yves donne toujours du temps aux élèves pour lire. Erby en profite donc pour feuilleter *Enlevés par les extraterrestres : témoignages troublants.*

L'Univers étant infini, la vie sur d'autres planètes, aux confins de l'Univers, serait envisageable. Chose certaine, les extraterrestres semblent déjà connaître la Terre. Certains d'entre eux se seraient même aventurés sur notre planète, ce dont font foi les apparitions d'ovnis dans le ciel, des traces d'atterrissage dans des champs, ou la découverte d'objets fabriqués à partir de matériaux non identifiés.

Si on en croit certains témoignages, les extraterrestres auraient d'ailleurs emmené des Terriens dans l'espace pour les étudier de plus près avant de les ramener sur les lieux où ils les avaient enlevés. Laissons la parole à des témoins qui ont bien voulu se confier à notre équipe :

« *Je sortais de ma cour avec mon chien Bipbip par un soir de pleine lune, raconte Wallace Worcestershire, quand tout à coup j'ai vu une lumière ultra puissante dans le ciel. Cette lumière en forme de cône nous a aspirés, Bipbip et moi. J'ai perdu connaissance. Quand je me suis réveillé, j'étais sur une table d'opération, à côté de mon chien. Nous avions des suces sur la tête. Je n'ai pas vu qui nous avait enlevés. Mais je les entendais. Ils produisaient de drôles de sons, comme des vibrations, cachés derrière une vitre. J'ai perdu connaissance à nouveau.*

Quand je suis revenu à moi, j'étais couché sur le trottoir, devant ma maison. Il paraît que j'étais disparu depuis cinq jours. Nous n'avons aucune séquelle de notre aventure, Bipbip et moi. Toutefois, depuis cet événement, il lui arrive parfois de faire de la lumière avec ses yeux. On dirait des rayons laser. Et moi, j'étais myope avant mon aventure et maintenant, je ne porte plus de lunettes. Je vois très bien dans le noir. Je peux même lire les yeux fermés ! »

Erby tourne les pages, fasciné.

Loretta White raconte qu'elle rentrait du centre commercial, un soir, après avoir fait des emplettes pour

Noël, quand elle a senti que sa voiture quittait le sol. En effet, un chariot illuminé la tirait vers une grande soucoupe, dont les portes se sont ouvertes à leur approche.

« *Au début, explique-t-elle, j'ai cru que c'était le père Noël qui voulait m'emmener dans son royaume. Mais quand je suis sortie de ma voiture, à l'intérieur de ce qui s'est avéré être un vaisseau, j'ai compris que ceux qui se trouvaient en face de moi n'étaient pas des lutins ni des fées. C'était de petits êtres en glaçage transparent et brillant. À travers leur peau, on pouvait voir leur squelette, qui semblait être fait de cure-pipes. Leur voix résonnait comme* des grelots. Quand ils parlaient entre eux, leur couleur changeait et ils produisaient des étincelles. À un moment donné, ils ont pris ma main. Je me suis alors mise, moi aussi, à changer de couleur et à crépiter, tel un feu de Bengale. C'était comme un rêve.

À mon réveil, j'étais dans ma voiture, dans le stationnement du centre commercial. C'était Noël.

Depuis mon expérience, je ne mange plus de gâteau glacé, car je pense que le crémage est vivant et doué d'intelligence. Et je crois fortement que Noël, avec ses lumières, est en fait une célébration en l'honneur de Lëon, le roi *des extraterrestres. Sinon, comment expliquer les rennes qui volent, la fée des étoiles et le père Noël (Lëon), qui sait tout, qui connaît les noms de tous et qui fait le tour de la Terre en seulement vingt-quatre heures, à bord d'un traîneau ultrasonique ?* **>>**

À la fin de la période de lecture, Erby referme l'ouvrage, **CHAMBOULÉ** par ce qu'il vient d'apprendre. Décidément, il y en a qui vivent de **grandes aventures !** Monsieur Yves interrompt ses réflexions en demandant à un élève d'aller éteindre les lumières.

— Cet après-midi, explique l'enseignant, je vais vous présenter un diaporama qui traite de notre système solaire. Alors, vous pouvez ranger vos affaires.

Erby se penche pour mettre son livre dans son sac. C'est alors qu'il réalise que sa semelle, celle qui a marché sur la gomme à mâcher, **brille dans le noir !**

601

Au gymnase, Louis-Benjamin écoute attentivement son enseignant, monsieur Marc.

— Vous allez former deux équipes. Le but du jeu sera de toucher les élèves avec le ballon, qui deviendra une **MÉTÉORITE** venue d'une autre galaxie. À la fin, l'équipe qui aura le plus de membres intouchés sera **la gagnante**. Vous devrez faire preuve de stratégie et courir très vite pour échapper à cette menace extraterrestre! **ALLEZ!** J'ai besoin de deux capitaines.

Quand il est nommé, Louis-Benjamin va rejoindre son équipe. «C'est **VRAIMENT BIZARRE** que monsieur Marc parle des extraterrestres aujourd'hui. C'est comme si des indices et des **HASARDS** s'accumulaient depuis ce matin pour nous prouver que l'opération Ventouse a bel et bien sa raison d'être.»

À la récréation, Louis-Benjamin quitte le gymnase en réfléchissant à

l'échantillon sonore mystérieux capté par **BÊTAMOUCHE**. Il va sortir par la porte donnant sur la cour quand il trouve un objet par terre.

Il s'agit d'une petite roche poreuse, gris foncé, dans laquelle est vissé un anneau. Le garçon se penche et ramasse l'objet. « **Qu'est-ce que c'est ?** Est-ce que cette pierre a des vertus particulières ? Est-ce qu'elle pourrait être ajoutée au dossier de l'opération Ventouse ? »

UNE PIERRE D'ORIGINE INCONNUE

14 h 7

Cling ! Dring ! Zzz !

Alpha-Béa

En direction du repaire.

Bloop ! Cling ! Dring !

Bêtabidule

Je viens de faire une découverte qui pourrait avoir un rapport avec notre enquête.

Bloop ! Cling ! Zzz !

Delta-Derby

Moi aussi !

Bloop ! Dring ! Zzz !

Gammascara

Vous piquez ma curiosité.

Vu l'état de son orteil, Delta-Derby est le dernier à se présenter au quartier général.

— **VOUS SAVEZ QUOI ?** La matière collante, sous ma semelle, eh bien, **elle brille dans le noir !**

— **HEIN ? !** Et regardez ce que je viens de trouver, dit Bêtabidule en posant la pierre au milieu de la table.

86

— Elle est **poreuse et légère**, remarque Béatrice en prenant l'objet.

— On dirait le débris d'une **MÉTÉORITE**, ajoute Delta-Derby.

— Et le petit anneau ? demande Gammascara en retournant la pierre dans sa paume. À quoi sert-il ?

— Si c'était **une clé**…, dit tout haut Delta-Derby.

— **La clé d'un vaisseau**, souffle Bêtabidule en regardant le ciel.

— Qui pourrait nous emporter loin, **au-delà des étoiles**, ajoute Gammascara.

Soufflant sur une mèche rebelle, la jeune fille ajoute :

— **Sans blague**, dans ma classe, le stagiaire me donne l'impression de savoir lire dans les pensées.

— Intéressant, répond Alpha-Béa. Moi, j'ai vu des **TACHES VERTES** sur les bras du suppléant, qui, selon ce que j'ai compris, viendrait de loin.

— As-tu remarqué s'il avait des écailles, comme un lézard ? demande Delta-Derby. En visite chez mon grand-père, l'autre jour, j'ai visionné quelques épisodes d'une vieille série télévisée qui s'intitule *V*. Dans cette émission, des lézards **VENUS DE L'ESPACE**, déguisés en humains, envahissent la planète. Ils bouffent des souris et des hommes.

— **OUACHE !** crie Gammascara avec un haut-le-cœur.

Soudain, la voix de la secrétaire résonne dans l'interphone :

— **ATTENTION ! ATTENTION !** Monsieur Sergio, le suppléant de madame Nathalie, a perdu son porte-clés. Il est fait en roche. Si vous le retrouvez, rapportez-le au secrétariat. Merci !

— Eh bien, dit Alpha-Béa. Voilà notre chance d'en découvrir plus sur monsieur Sergio. **ALLONS-Y.**

Quand ils arrivent au secrétariat, monsieur Sergio discute avec madame Sylvette, la secrétaire. Il se retourne en entendant les jeunes entrer. Louis-Benjamin lui tend son porte-clés.

— **Merci !** dit-il, content. Je pensais que je ne le reverrais jamais. Comment aurais-je pu m'en retourner chez moi sans lui ?

En parlant, le suppléant fait passer l'anneau dans la fente de deux clés, tout en expliquant qu'il avait défait son trousseau pour aller faire faire des doubles à la quincaillerie.

— **HAN, HAN,** répond Louis-Benjamin. Où avez-vous eu ce porte-clés ?

— Ah…, répond évasivement monsieur Sergio, c'est un cadeau qu'on m'a offert avant que je quitte les lieux où je suis né…

— **Vous êtes né où ?** interroge Béatrice.

— Loin… trop loin… Bon, il faut que j'y aille. J'ai un petit travail à faire. **Merci encore !**

Le suppléant quitte le secrétariat au pas de course.

En ressortant de l'école, les **Z** échangent leurs impressions.

— Je me demande **quel genre** de travail il devait faire, dit Erby.

— En tout cas, il est mystérieux et, avec son habit spécial, il me fait penser à l'espion de l'espace de *Planète Mystère*, lâche Gammascara. Si ça se trouve, monsieur Sergio avait un rapport à envoyer à ses supérieurs.

— Et, pour utiliser son superordinateurgalactique, poursuit Bêtabidule, il avait peut-être besoin de sa roche énergétique.

Cette hypothèse, en apparence farfelue, fait sourire Alpha-Béa.

— Quoi qu'il en soit, dit l'agente, **SOYONS VIGILANTS**. Peau verte pourrait nous mener à d'étranges découvertes.

La cloche sonne, annonçant la fin de la récréation. Alpha-Béa salue ses camarades avant de tourner les pages de son calepin.

FAITS INSOLITES, SUITE

- Roche poreuse, d'origine inconnue, pourvue d'un anneau (appartient à monsieur Sergio)

- Matière verte collante fluo non identifiée, sous la semelle d'Erby

- Pouvoirs possiblement télépathiques du stagiaire, monsieur Martin

★ Gémeaux ★

Les gens, parfois, ne sont pas
tels qu'ils se présentent.
Ils portent des masques.
Les étoiles sont formelles :
méfiez-vous des apparences.

DES TRACES ?!?!

Mardi, 7 h 34

Bloop ! Dring ! Zzz !

Gammascara

Alpha-Béa ? Bêtabidule ?
Où êtes-vous ?

Cling ! Dring ! Zzz !

Alpha-Béa

J'arrive.

Bloop ! Cling ! Dring !

Bêtabidule

Je fais ce que je peux !

Quand la rédactrice en chef se présente au repaire, cernée, soufflant et croulant sous le poids de son sac d'école, Delta-Derby lâche :

— T'as l'air d'un **ZOMBIE** ce matin ! Es-tu malade ?

— Non. J'ai passé la nuit à observer le ciel, dans le cas où j'apercevrais un **OVNI**. Et toi, qu'est-ce que tu fais avec tes verres fumés ce matin ?

— Ce sont les lunettes de ski de mon père. Elles permettent de bien voir malgré le soleil qui se reflète sur l'eau et la neige. J'imagine qu'elles pourraient aussi résister aux phares avant d'une **navette spatiale**. On ne sait jamais. D'un coup que le suppléant décide de venir à l'école **à bord de son vaisseau !**

La jeune fille sourit en tirant son calepin de sa poche. Ses amis remarquent alors qu'il est attaché à une ficelle, elle-même nouée à une épingle de sûreté qu'elle a fixée à son coupe-vent. Même chose pour son stylo, qu'elle porte au cou, attaché à une cordelette.

— **EH OUI,** tous ces faits et indices qui s'accumulent depuis hier m'ont fait penser qu'on ferait peut-être mieux de nous organiser pour défier la gravité. On n'est jamais trop prudent. **Et toi**, May-Lee, tu prépares un nouveau spectacle?

La jeune fille, vêtue d'un legging blanc et d'une longue tunique grise bordée de pierres du Rhin, porte un bandeau avec des antennes pourvues de boules en styromousse couvertes de brillants argentés.

— Bien moi, après réflexion, je me suis dit que, si je devais un jour faire carrière dans une **autre galaxie**, il me faudrait apprendre à me fondre dans le paysage avec distinction.

BOUM! BOUM! BOUM!

Les **Z** lèvent la tête. Louis-Benjamin marche vers eux. En frappant le sol, ses bottes font un **BRUIT D'ENFER**. Quand il arrive à la table à pique-nique, il se laisse tomber sur le banc, épuisé.

— J'ai vissé des fers à mes semelles. Mes **BÊTABOTTES**, par leur lourdeur, donneront du fil à retordre aux extraterrestres qui voudront m'aspirer dans leur **vaisseau spatial**. En admettant qu'ils existent, bien sûr, et qu'ils décident de se poser chez nous. À ce propos, quoi de neuf?

Alpha-Béa retire le bouchon de son stylo.

— Ce matin, à la télé locale, on a annoncé que des **traces** avaient été découvertes dans le champ de maïs situé au pied de la colline où se trouve l'observatoire.

— **HEIN ? ! ? !**

— Oui, je n'ai pas entendu le reportage, car le son de la télé était au minimum. J'ai seulement vu des images des traces, qui avaient la forme d'un cercle, avec des lignes à l'intérieur. L'ensemble faisait penser à une toile d'araignée.

— Comme si une **soucoupe** s'était posée en ville, souffle Bêtabidule.

— Avec, à son bord, des arachnides intergalactiques, ajoute Delta-Derby.

— **BRRR !** s'exclame Gammascara. Une navette pleine de bibittes géantes à huit pattes velues.

Des enseignants sortent dans la cour, signe que l'école va commencer d'une minute à l'autre.

— Aujourd'hui, propose Alpha-Béa, on va filer le suppléant et le stagiaire, et noter toutes leurs actions.

— Qu'est-ce qu'on fait si on découvre qu'ils sont des **MARTIENS ?** demande Gammascara.

— **JE L'iGNORE**, répond Béatrice. Souhaitons qu'ils n'en soient pas.

De la main, une enseignante les invite à rejoindre les rangs. Les **ZALPHAJUSTICIERS** se dirigent donc vers les élèves de leurs classes respectives. Ils attirent l'attention, l'un avec ses immenses lunettes solaires, l'autre avec ses bottes bruyantes, et Gammascara avec sa tenue excentrique. Cette dernière prend les choses avec philosophie.

— On est toujours l'extraterrestre de quelqu'un, **HEiN ?** C'est ce que disait Irma Hata en entrevue pour son nouveau film. Bonne période, les **ZALPHAS !**

SAUVÉ PAR LA CLOCHE

7 h 46

603

En entrant dans sa classe, Béatrice constate que madame Nathalie est **encore** absente. Monsieur Sergio, par contre, est toujours là. Ce matin, il porte une redingote en velours bleu nuit, des pantalons gris luisants et de longues et minces chaussures pointues qu'on croirait faites de miroir. Le regard fixé sur l'écran de son ordinateur portable, il laisse les élèves s'installer avant de les saluer.

— Dans moins d'une minute, nous allons recevoir des nouvelles de madame Nathalie sur Skype.

Il vient à peine de prononcer ces mots que son ordinateur se met à sonner. Le suppléant appuie sur un bouton. Aussitôt, on entend la voix de madame Nathalie, avec qui il échange quelques politesses. Il tourne ensuite l'ordinateur vers ses élèves. Sur l'écran, on reconnaît bien l'enseignante, mais elle est dans un **ENDROIT SOMBRE**, ce qui lui donne un teint gris et fait de l'ombre sous ses yeux. De plus, comme la communication n'arrête pas de s'interrompre et de reprendre, on ne comprend pas très bien ce qu'elle raconte. «Comme si elle était dans une **AUTRE DIMENSION**», songe Béatrice, inquiète.

— … jour… enfants… bien… malgré… soin… espoir. Faites… suppléant… demande.

La communication se rompt pour de bon, au grand désespoir de Béatrice. Réalisant qu'il est incapable de rétablir le contact, le suppléant referme le couvercle de son ordinateur et sourit, énigmatique.

— Madame Nathalie l'a dit, vous n'avez **PAS LE CHOIX**. C'est maintenant moi qui suis *aux commandes de votre univers*!

Ces derniers mots font **SURSAUTER** Béatrice : « Et si, pour prendre les commandes de notre univers, monsieur Sergio, un Martien, avait enlevé madame Nathalie ? »

602

Devant le miroir de la salle des toilettes, May-Lee revoit son rouge à lèvres blanc et admire ses boucles d'oreilles en forme d'étoiles filantes. Elle profite ensuite de la solitude des lieux pour interpréter le dernier succès de son idole :

Tu es dans la lune

Depuis le jour où une

Créature de l'infini

Est entrée dans ta vie

Pour découvrir son identité

Voleras-tu jusqu'à la Voie lactée?

May-Lee sort et s'engage dans le corridor en faisant quelques pas de danse. **SOUDAINEMENT**, la voix de la secrétaire retentit dans l'interphone de la classe de maternelle, dont la porte est ouverte.

— Josiane, **CROOUCH...** peux-tu m'envoyer les noms des élèves qui mangent des repas chauds ce midi? **CROUUUUCH...**

« C'est **BIZARRE**, pense May-Lee. La voix de madame Sylvette a quelque chose de métallique aujourd'hui. Comme si elle parlait dans une boîte de conserve. Ou comme si elle était un robot. »

L'imagination de la jeune fille se met alors à tourner en accéléré. « Et si elle avait toujours été un automate sans qu'on le sache? Si on l'avait remplacée par un robot? Ou pire: si on l'avait robotisée? **OUAHHHHHH!** »

Effrayée par cette idée, May-Lee se hâte de rejoindre sa classe. Quand elle y entre, monsieur Martin lui demande :

— **Jupiter !** T'as bien l'air énervée ! On dirait que tu viens de voir un extraterrestre !

« Peut-être même deux », se dit la jeune fille, troublée, en se laissant choir sur sa chaise. Le stagiaire, il n'y a plus de doute possible, lit dans ses pensées !

601

Louis-Benjamin se rend à l'aiguisoir. Il y insère un crayon, donne quelques coups de manivelle et, pendant que tout le monde regarde ailleurs, dépose son drone sur le plancher, dans l'entrebâillement de la porte. Il actionne ensuite discrètement son cellulaire.

ZZZzzz! À travers les yeux de Bêtamouche, le jeune inventeur voit le concierge qui lave le plancher du corridor. En bougonnant, il s'acharne sur une **TACHE VERTE**, à côté de la poubelle. Puis, il aperçoit la secrétaire qui marche jusqu'à la classe de Béatrice, une liasse de feuilles à la main. Ses talons claquent sur le plancher. « Ses jambes ont l'air lourdes, songe le garçon, comme si elles étaient en métal. **HEIN!** Je n'avais jamais remarqué qu'elle portait des appareils aux genoux… »

Madame Sylvette frappe à la porte du 603. Trois secondes passent. Le suppléant ouvre. La secrétaire lui tend les feuilles. Monsieur Sergio les prend. Les deux adultes échangent quelques mots à voix basse.

— Merci, dit le suppléant. J'ai hâte à vendredi. Mais je suis **NERVEUX**.

— **Tout va bien aller!** Vous allez les prendre par surprise!

Le suppléant sourit et referme la porte de la classe. La secrétaire reprend alors le chemin du secrétariat. **CLAC! CLAC! CLAC! ZZZZZZ!**

Madame Sylvette passe ensuite devant le local où le concierge range son matériel. Comme il s'y trouve, en train d'essorer sa vadrouille, elle y entre et referme la porte derrière elle.

ZZZzzzzzzz !

Une minute plus tard, Bêtabidule récupère sa mouche. Il pianote sur son écran afin de fermer le programme de mise en marche du drone quand une vibration lui annonce la réception d'un texto.

Cling ! Dring ! Zzz !

Alpha-Béa

Le suppléant vient de quitter la classe en direction de la salle des enseignants.

Bloop ! Cling ! Zzz !

Delta-Derby

Je m'en occupe.

Bloop ! Dring ! Zzz !

Gammascara

Méfie-toi de la secrétaire. J'ai des raisons de croire que c'est un robot.

Bloop ! Cling ! Dring !

Bêtabidule

Tu veux parler de ses jambes de métal ?

Bloop ! Dring ! Zzz !

Gammascara

Non, de sa voix. C'est quoi, l'histoire des jambes ?

Bloop ! Cling ! Dring !

Bêtabidule

> Je vous en reparlerai. Pour le moment, je soupçonne la secrétaire d'être de mèche avec le suppléant, qui compte nous prendre par « surprise » vendredi. Je pense aussi que le concierge est leur complice.

Bloop ! Cling ! Zzz !

Delta-Derby

604

— Monsieur Yves, est-ce que je peux aller aux toilettes ?

— Ça ne peut pas attendre **QUELQUES MINUTES?** Ce sera bientôt la récréation.

— Non. **ÇA PRESSE.**

— Bon, d'accord, mais dépêche-toi.

Delta-Derby quitte le local le plus rapidement qu'il le peut, compte tenu de son gros orteil amoché.

L'espion suit la direction indiquée par Alpha-Béa, quand le suppléant surgit dans le corridor, une boîte sous le bras. **VITE**, Delta-Derby s'accroupit derrière un bac de recyclage pour le voir passer, fredonnant un air insolite.

— Hui u ui u ui oouuuuuu hui…

« Dans quelle langue chante-t-il ? » se demande le garçon, étonné. « Est-il vraiment en train de chanter ? Est-il plutôt en train de **communiquer** avec sa planète ? Donne-t-il des indications à ses collègues sur la façon **d'atterrir** dans la cour de l'école ? Que contient sa boîte ? Un ver intergalactique ? Des larves de ventouses venimeuses ? Des pièces pour monter une **station spatiale** sur le toit de l'école ? »

Le suppléant s'arrête sec. **OUF !** Delta-Derby, soudain, souhaiterait être invisible. **ZUT !** Monsieur Sergio se retourne.

— Qu'est-ce que tu fais là, jeune homme?

— Bien, je…, bredouille Delta-Derby, qui n'a jamais été doué pour l'improvisation.

La cloche sonne. Les portes des classes s'ouvrent, déversant un flot d'élèves qui prennent le corridor d'assaut. Delta-Derby profite de cette occasion inespérée pour se fondre dans la foule et aller rejoindre les **Z**.

«**EH BIEN**, se dit-il, content d'avoir échappé au suppléant, je viens de comprendre la signification de l'expression **"sauvé par la cloche"**.»

★Cancer★

Le pire n'est pas
encore survenu.
Prudence !
Et euh...
bonne chance !

RÉUNION ULTRA SECRÈTE

10 h 3

Tandis que Delta-Derby s'assure que personne ne les épie (s'il fallait qu'on surprenne leur conversation, ce serait **LA PANIQUE**), les **Z** discutent des événements survenus au cours de l'avant-midi.

— Il faut commencer à songer à un plan d'action, décrète Alpha-Béa.

— Oui, mais qu'est-ce qu'on peut faire contre d'hypothétiques robots programmés par des extraterrestres? demande Bêtabidule.

Gammascara, qui, jusqu'à hier, ne croyait pas aux petits **bonshommes verts**, a fini par se laisser imprégner par l'ambiance générale. D'ailleurs, ce matin, la voix de la secrétaire l'a saisie. Elle essaie de la balayer de son esprit en chantonnant un refrain de son idole.

Des rayons laser

Dessinent des mystères

En orbite, mon cœur crépite

Je veux savoir ce qui t'habite

— Il faut continuer de suivre **LES SUSPECTS** à la trace, proclame Delta-Derby.

— D'accord, mais qu'est-ce qu'on fait pour madame Nathalie ? demande Alpha-Béa.

— Je ne sais pas encore, répond Bêtabidule. Pour ma part, j'aimerais aller voir les **traces d'atterrissage** de plus près. Qui dit « empreintes » dit « vaisseau à proximité ».

— Et qui dit « découvertes » dit « invités à *Impossible, vous dites ?* » poursuit Delta-Derby, qui rêve depuis toujours de devenir une vedette de l'inexpliqué.

Absorbés par leur dossier, les **ZALPHAJUSTICIERS** ne se rendent pas compte que la récréation est terminée. C'est monsieur Sergio qui les rappelle à l'inquiétante réalité.

— **Allez, les jeunes!** On se dépêche de monter à bord! Venez prendre votre rang! Vous voyez bien qu'il ne manque que vous pour procéder au décollage!

Les **Z** échangent des **REGARDS ALARMÉS**. Devraient-ils se sauver pendant qu'il en est encore temps?

— Non, siffle Delta-Derby entre ses dents. Si on veut «découvrir et dévoiler la vérité», il faut aller de l'avant.

Alpha-Béa marche vers son groupe en essayant de contrôler les battements de son cœur. Elle a du mal à ne pas céder à la **PANIQUE**. C'est qu'au moment d'entrer dans l'école avec ses camarades, elle a l'impression de pénétrer dans une soucoupe.

Derrière eux, la porte se referme.

LE TROU NOIR

10 h 45

603

Tandis qu'elle jogge autour du gymnase avec ses camarades, Béatrice se demande si son suppléant vient véritablement d'une **AUTRE PLANÈTE**. «Si oui, peut-on y courir librement ? Combien y a-t-il de satellites autour ? Est-ce que l'air y est brûlant ? Est-ce qu'il est respirable ? Est-ce qu'on y trouve de l'eau ? **Ah !** Comme j'ai soif !» Puis, elle a une pensée pour madame Nathalie. «Où se trouve-t-elle? Est-ce qu'on prend bien soin d'elle?»

Tout à coup, elle est prise d'une envie de tout raconter à un adulte de l'école. Mais elle se ravise aussitôt. «On ne nous croirait pas. Puis, on ne sait pas à qui on a affaire, ici. Non, le mieux est de continuer d'agir dans **le plus grand des secrets**. »

601

Louis-Benjamin, qui assiste à un atelier de nutrition, se met à s'interroger sur ce qu'on mange chez les extraterrestres. «Est-ce qu'ils s'alimentent de gélules vitaminées ou de nourriture ordinaire, comme du steak, des pommes de terre et des pois? Puis, qu'est-ce qu'ils font, comme métier, chez eux? Sont-ils enseignants? Chercheurs? Explorateurs?» Et subitement, il a un **FRiSSON D'HORREUR**: «Et s'ils avaient envoyé chez nous des cuisiniers en quête d'une nouvelle saveur pour Martiens humanivores?»

604

Dans son cours de mathématiques, Erby additionne mentalement tout l'argent qu'il a économisé depuis qu'il a commencé à livrer le journal de la ville, un hebdomadaire. Ses affaires vont bien. On l'a même appelé cette semaine pour lui annoncer qu'il allait avoir de nouveaux clients.

Erby en est fier. Avec ses économies, il compte s'abonner à *Martiens et compagnie*, une revue qui traite des phénomènes surnaturels. Il rêve d'ailleurs d'en faire un jour la couverture. «Même si notre enquête est sur la bonne voie, se dit-il sagement, ne nous emballons pas trop vite. **Gardons les pieds sur terre !**»

602

Dans sa classe de musique, May-Lee et ses camarades sont en train d'interpréter *Brille brille petite étoile* au carillon, quand la voix de la secrétaire retentit dans l'interphone.

— Clarice, **CROUCH-CROUCH-CROUCHCHCHCHCH...** Pourriez…

CROUCHEHEHEHEH... élève…
CHROUCH... secrétariat…?

« Décidément, se dit May-Lee, sa voix sonne comme celle d'un automate détraqué. Et cette **FRITURE**, provient-elle du fait que l'énergie de madame Sylvette interfère avec le système électrique de l'école ? »

Ses réflexions sont interrompues par l'enseignante, qui lui demande :

— May-Lee, veux-tu aller au secrétariat ? Madame Sylvette doit avoir des documents pour nous.

Gammascara pose ses baguettes et quitte la classe, contente de pouvoir faire un tour de reconnaissance.

Dans le corridor désert, un sac de vêtements d'éducation physique en peluche grise, oublié sur le plancher, se transforme, dans son imagination surchauffée, en un cocon abritant un embryon en train de se métamorphoser en une **GROSSE BIBITTE** volante : couverte d'écailles et de pics, celle-ci posséderait également une gueule pourvue de trois rangées de dents pointues, dégoulinantes de mousse gluante et corrosive.

La jeune fille revient à la réalité lorsqu'elle reconnaît les voix du suppléant et du stagiaire, qui viennent dans sa direction en discutant de la distance qui sépare la Terre et Mars. **VITE**, il lui faut se mettre à l'abri ! Justement, devant elle se dresse une porte ouverte. Tout en cherchant à se cacher, elle sort son téléphone pour informer les **Z** de sa situation. Or, elle est tellement énervée qu'elle en échappe son appareil dans la poubelle avant d'être avalée par un trou noir.

Bloop ! Dring ! Zzz !

Gammascara

Je viens de voir et d'entendre le stagiaire et le suppléant asdgfa…

UN ENLÈVEMENT ?

11 h 52

May-Lee n'étant pas retournée en classe au bout de quinze minutes, l'enseignante, étonnée, appelle la secrétaire à l'interphone, qui lui répond :

— **CROUCH...** pas vue… **CROUCH...**

Quand la cloche du dîner sonne, la jeune fille n'est toujours pas de retour, ce qui inquiète l'enseignante pour de bon. Tandis qu'elle va au secrétariat pour alerter la direction et appeler les parents de la jeune fille, les élèves de son groupe entrent dans la salle des dîneurs en répandant la nouvelle de sa **DISPARITION** : qu'est-il arrivé à May-Lee Binette ? En effet, personne n'entre dans l'école ni n'en sort sans l'autorisation de la secrétaire, qui voit tout dans une caméra postée à l'entrée et qui doit appuyer sur un bouton pour ouvrir la porte.

— Elle était en train de nous écrire au sujet du stagiaire et du suppléant, quand elle a **soudainement** interrompu son message, dit Alpha-Béa en faisant le point avec ses amis. Depuis, je lui ai écrit à plusieurs reprises et je suis toujours sans réponse.

— On dirait qu'elle a été avalée par l'école, ajoute Delta-Derby avant de mordre dans un sous-marin.

— Logiquement, dit Bêtabidule, elle ne peut pas s'être dissoute. À moins d'avoir pris place dans un téléporteur, comme dans *Star Trek*.

— Elle est peut-être déjà sur une autre planète, avec madame Nathalie, dit Alpha-Béa, l'estomac noué par l'appréhension.

Une surveillante se présente à la table des Zalphas.

— **SUIVEZ-MOi** au secrétariat. Il y a des gens qui ont des questions à vous poser.

Quand les **Z** se présentent au bureau du directeur, **deux agents de police** y sont déjà, ainsi que les parents de May-Lee.

— **ENTREZ**, dit monsieur le directeur avec un geste de la main.

En s'assoyant, Béatrice jette un œil vers le bureau de la secrétaire, posté de l'autre côté de la porte ouverte. On dirait que madame Sylvette les épie. Aussi, la jeune fille baisse le ton pour dire aux policiers :

— Je pense qu'elle a été enlevée par des Martiens.

Cette révélation fait soupirer le directeur.

— Béatrice et ses amis ont beaucoup d'imagination.

Le policier lève les yeux de son calepin et fixe du regard Alpha-Béa pendant un instant avant de donner des ordres brefs à son coéquipier.

— Fouille l'école de fond en comble avec le personnel disponible. Et vous, monsieur le directeur, renvoyez les élèves dans leurs classes avec leurs enseignants. **Que personne n'en sorte** jusqu'à ce que les recherches soient terminées.

Il se tourne ensuite vers les trois amis.

— May-Lee ne doit pas être loin. Nous allons vite la retrouver. Merci d'avoir collaboré avec nous. Allez rejoindre vos surveillants.

LES ZALPHAJUSTICIERS quittent le bureau en silence, sous le regard inquisiteur de la secrétaire. Tout en marchant vers la salle des dîneurs, ils se demandent, catastrophés, qui sera le prochain à disparaître dans les entrailles de l'école.

— **DU CALME**, dit la chef des surveillants aux élèves en leur demandant de prendre leurs rangs. Vous êtes en sécurité ici. Maintenant, tout le monde dans les classes! **Bon après-midi!**

13 h 7

603

Malgré les mots rassurants des surveillants et des enseignants, les élèves sont traumatisés par ce qui est arrivé à May-Lee Binette. Autour de Béatrice, les jeunes se racontent diverses histoires, toutes plus **EFFRAYANTES** les unes que les autres. Par exemple, l'un d'eux raconte qu'il a déjà entendu parler d'une petite fille de prématernelle, qui était allée aux toilettes et qui n'en est jamais revenue.

— Elle est passée par le trou et s'est retrouvée chez les intraterrestres, de petits êtres qui vivent sous la terre.

— Moi, raconte un autre, j'ai déjà connu quelqu'un qui connaissait quelqu'un qui avait entendu parler d'une école où il y avait un trou noir. Les élèves y tombaient en allant au secrétariat et ils se retrouvaient chez un serpogre, un ogre serpent. Les élèves **ATTERRISSAIENT** dans l'assiette du **MONSTRE**, avec des betteraves et des cornichons. On n'entendait plus jamais parler d'eux. C'est le concierge qui a fini par retrouver leurs ossements, un jour, en allant chercher la boîte des objets perdus. Là, le trou noir s'est ouvert comme ça au-dessus de sa tête et les os sont tombés dans la boîte.

— **OUAHHHHHHH !** s'écrient les élèves, horrifiés.

« Ce ne sont que des histoires, se dit Béatrice, soucieuse, en jetant un œil de biais à monsieur Sergio qui, à son bureau, a le regard dans le vague. J'ai peine à m'imaginer comment vous réagiriez si on vous disait la vérité… »

15 h 35

Il n'y a aucune nouvelle disparition à signaler au cours de l'après-midi. Seule ombre au tableau, la direction a décidé que **personne** ne sortirait de l'école tant que l'enquête des policiers ne serait pas terminée. Dans chaque classe, on se demande donc si on va devoir **dormir à l'école**.

Toutefois, des cris de joie retentissent quand la voix de la secrétaire résonne soudain dans tout l'établissement :

— Attention **CROUCH...** On a **CROUCH... CROUCH...** retrouvé **CROUCH...** May-Lee. Elle est **VIVCRHOUCH...**

Bloop ! Dring ! Zzz !

Gammascara

Je suis présentement avec mes parents et la police. On se voit ce soir ?

Bloop ! Cling ! Dring !

Bêtabidule

Gammascara ! Fiou ! Oui ! Venez chez moi à dix-huit heures !

Bloop ! Cling ! Zzz !

Delta-Derby

Compte sur moi, Bêtabidule.
Je suis content de te savoir
vivante, Gammascara ! Tu nous
as fait une de ces peurs !

Cling ! Dring ! Zzz !

Alpha-Béa

OK, Bêtabidule. Et, toi,
Gammascara, essaie de ne
pas disparaître à nouveau !

SLUUUUUURP!

18 h 13

Installés dans **L'ATELIER SECRET** de Bêtabidule, au sous-sol de la maison familiale, les **4Z** sont suspendus aux lèvres maquillées de violet de Gammascara.

— J'ai entendu messieurs Sergio et Martin qui parlaient de l'espace tout en marchant dans le corridor. J'ai voulu vous écrire, mais j'étais tellement **STRESSÉE** que j'ai échappé mon cellulaire avant de perdre l'équilibre et de tomber dans le placard. Je me suis alors retrouvée prise au piège.

— Tu n'as pas pensé à tourner la poignée ? demande Bêtabidule.

— Il n'y a pas de poignée à l'intérieur. Par contre, il y avait une trappe pour le linge sale, dans laquelle le concierge jette ses serviettes, ses guenilles et ses vadrouilles usagées. Comme il faisait noir et que je n'y voyais rien, j'ai mis les pieds dedans, je suis tombée et j'ai atterri au sous-sol de l'école, dans une manne à linge humide et **PUANTE**, dans une pièce noire et fermée elle aussi, au fond de la salle des machines. J'avais vraiment hâte qu'on me retrouve !

La jeune fille passe la main dans ses cheveux, dans lesquels elle a glissé des mèches frisées **BLEU ÉLECTRIQUE** et d'autres, droites et métalliques.

— Ce qui m'a permis de garder courage, ce sont les paroles d'Irma Hata, publiées dans son autobiographie, *Une espionne à cœur ouvert* :

Dans le noir tout se révèle

Mes rêves, soudain, ont des ailes

Les yeux fermés, je vois tout

Ton cœur, tes yeux me
suivent partout

Delta-Derby soupire. Il ne comprend rien aux textes **énigmatiques** de la chanteuse espionne. Toutefois, en scrutant Gammascara, il songe : « Et si on l'avait transformée en robot, elle aussi ? Mieux vaut s'assurer de son identité. »

— Pourquoi tu ne répondais pas quand on t'écrivait ? demande-t-il brusquement.

— Parce que mon téléphone était à l'extérieur du placard. Et personne ne pouvait me retrouver en le faisant sonner parce que je l'avais mis en mode **VIBRATION**.

— Ah bon… Qui est ton idole ?

— Irma Hata, pourquoi ?

— Fais-tu partie d'une agence et si oui, quelle est votre mission **en ce moment ?**

Gammascara, qui comprend tout à coup où son ami veut en venir, emprunte une voix d'automate :

— **MON-RÊ-VE-EST-DE-CON- QUÉ-RIR-LA-PLA-NÈ-TE...**

Ses amis reculent, effrayés. Elle s'esclaffe :

— **MAIS NON !** C'est une blague ! En fait, je veux bien conquérir la Terre, mais en tant qu'artiste ! **T'es drôle**, Delta-Derby, mais pas très subtil.

Delta-Derby, désarçonné, s'excuse.

— Je voulais simplement m'assurer que tu étais la seule et unique Gammascara. Changement de propos, cet après-midi, je vous ai dit que j'avais de nouveaux clients pour le journal. **EH BIEN**, en revenant de l'école, j'ai découvert que l'un de ces abonnés était monsieur Sergio!

— **QUOI?** s'exclament les **Z**.

— **OUAIS.** Je passais devant l'ancienne demeure des ovniologues quand je l'ai vu y entrer.

— Sérieux? demande Gammascara. Il habite la maison **BIZARRE** avec un giga paratonnerre?

— **ÉTRANGE, HEIN?** En tout cas, tôt demain matin, en allant livrer mes journaux, je compte tirer les choses au clair.

— Sois prudent, suggère Alpha-Béa. Si monsieur Sergio est vraiment ce que l'on pense, il doit avoir des pouvoirs **surhumains**. Et puis, il a peut-être placé des pièges sur son terrain.

— Ne vous inquiétez pas pour moi.

— En attendant, enchaîne Bêta-bidule, qui admire le courage de son ami, j'aimerais qu'on regarde une vidéo. Je l'ai trouvée sur le Web. Elle traite des invasions extraterrestres.

Louis-Benjamin claque des mains pour éteindre les lumières de l'atelier. Il ajuste ensuite Bêtarobot, manipule son cellulaire et appuie sur l'icône « jouer ».

Un titre apparaît sur le mur, en lettres clignotantes : **« Que faire en cas d'invasion martienne ? »** Une mélodie jouée à l'orgue, à laquelle se mêlent des cris et des bruits d'épée laser, crée une ambiance angoissante.

La vidéo donne alors à voir un homme assis sur une chaise berçante de parterre, au milieu d'une pièce en ciment gris dont les murs sont bordés d'étagères aux tablettes garnies de boîtes de conserve. Le personnage porte une combinaison beige. Il fixe la caméra.

« En cas d'invasion martienne, mieux vaut calfeutrer ses fenêtres et se réfugier au sous-sol. Auparavant, faites des provisions de lampes de poche, de piles, de nourriture et d'eau. Apprenez aussi à faire germer des haricots et des lentilles. Ces aliments sont nourrissants, vitaminés et faciles à cultiver. »

L'homme se berce en silence pendant quelques secondes. Il s'arrête net :

« Certains signes montrent que les extraterrestres ont déjà commencé à s'installer parmi nous. **Comment les reconnaître ?** Par des sons qui nous parviennent d'on ne sait où : des crépitements, des vibrations graves ou aiguës, des bruits étranges. Cela

peut aussi être des traces d'atterrissage dans des champs. Enfin, on peut
aussi apercevoir des **EMPREINTES
GLUANTES ET VERTES** laissées
sur le sol ou sur les murs à leur pas-
sage. Dans ce cas, les extraterrestres
sont à proximité. »

Gros plan sur le visage de l'homme,
dont la peau est très pâle. À coup
sûr, il n'a pas vu le soleil depuis
longtemps.

« Pour éviter d'être enlevés par des
extraterrestres, sortez **le moins
souvent possible**. Si vous devez
le faire, méfiez-vous : cette femme qui
marche dans la rue en promenant son
chien, est-elle vraiment une femme ?
Et son chien ? Restez aux aguets.
Moi, je ne prends aucun risque :

j'ai tout ce qu'il faut pour survivre sous terre durant les dix prochaines années. Pour vous, il est peut-être déjà trop tard… Alors, ce qu'il vous reste à faire, c'est de vous fondre dans le paysage. Faites comme eux, marchez comme eux, habillez-vous comme eux, essayez d'apprendre leur langue… Au besoin, maquillez votre visage en vert. **Bonne chance !** »

La musique recommence, avec les rayons laser et l'orgue, tandis que la caméra s'éloigne de l'homme, qui continue de se bercer dans son bunker.

Les yeux de Bêtarobot s'éteignent. Louis-Benjamin claque des mains et les lumières du salon se rallument.

— C'est **TERRIFIANT**, dit Gammas-cara.

— Oui, répond Alpha-Béa. Où se cacher en cas **D'INVASION ?**

— On pourrait transformer le sous-sol en refuge, suggère Louis-Benjamin. Il faudrait simplement y couler un peu de ciment pour solidi-fier ses murs.

— Qu'est-ce que vous comptez faire dans le sous-sol? demande le père de Louis-Benjamin, qui descend avec un plateau sur lequel se dressent quatre verres remplis d'une mixture verte.

— Si je te disais que des extraterrestres s'apprêtent à **ENVAHIR LA VILLE,** explique Louis-Benjamin, tu n'aurais pas envie de fortifier la maison ?

— J'irais plutôt à leur rencontre, comme dans l'émission que j'aime tant, *Étranges voisins*, qui raconte l'amitié entre deux familles, l'une terrienne, et l'autre extraterrestre.

— Et s'ils voulaient **nous enlever ?** demande Erby.

— Eh bien, je saisirais l'occasion de faire un grand voyage ! Combien de personnes ont eu le privilège d'aller dans l'espace ? Tiens, pendant que vous vous contez des peurs, goûtez donc à cette boisson. J'ai trouvé une vieille machine à **barbotine** dans une vente-débarras. Elle était hors d'usage, mais je l'ai réparée. Ce soir, juste pour vous, j'ai créé une saveur que j'ai appelée « Morve galactique. » C'est bon, **HEIN** ?

À l'évocation de ce nom dégoûtant, Alpha-Béa manque de s'étouffer.

— Voyons, Béa… c'est juste de l'eau, du sucre, du jus de lime et du colorant alimentaire ! Bon, je retourne sur ma planète, moi. **Ha ! Ha ! Ha !** Ils me font rire, ces jeunes ! Un refuge anti-Martien dans le sous-sol. Pouah !

Une fois que son père a quitté l'atelier, Bêtabidule soupire et lance :

— C'est clair qu'il ne nous prend pas au sérieux.

— En fait, personne ne nous croit : ni ton père, ni la direction de l'école, ni la police. Vous vous rendez compte ? lâche Béatrice, désespérée.

— Et **LE TEMPS PRESSE**, ajoute Gammascara. L'activité à l'observatoire doit avoir lieu vendredi.

— On va commencer par confondre le suppléant, intervient Delta-Derby. Demain, on va en avoir le cœur net. Je commence ma tournée à cinq heures. Alors, programmez vos réveille-matin et allumez vos cellulaires.

Puis, il lève son verre, solennel :

— Un pour tous et tous pour un ! Comme les Trois Mousquetaires… de l'espace !

Sur ce, les justiciers, solidaires, avalent une gorgée de morve galactique.

SLUUUUUUUUUUURP !

☆ Lion ☆

Caché dans sa tanière,
l'ennemi que vous redoutez a senti
votre présence. Il est trop tard
pour reculer.

COCORIC'HORREUR!

Mercredi, 5 h 2

Son sac en bandoulière, Delta-Derby clopine sur le trottoir. Tout dort dans le quartier. Sauf un chat, qui surgit soudainement dans la rue et le fait sursauter. Pour se sentir moins seul et rester au courant des actualités, le **livreur espion** insère ses écouteurs dans ses oreilles et syntonise le poste de la ville. Il reconnaît aussitôt la voix d'Irma Hata :

La lune qui luit

Éclaire les Petits-Gris

Qui se glissent dans la nuit

Pour enlever grands et petits

Et s'envoler... vers l'infini

Les Petits-Gris… L'autre jour, en faisant une recherche sur le Web, Erby a appris que ces **EXTRATERRESTRES** de petite taille tirent leur nom de la couleur de leur peau. Ce seraient eux qui viendraient régulièrement sur la Terre pour **ENLEVER** des humains. C'est du moins ce qui est ressorti des témoignages de gens qui avaient eu affaire avec ces êtres.

Rien qu'à l'idée de rencontrer des Petits-Gris, Erby a le cœur qui se met à battre très fort. **OH !** Le voilà rendu devant la maison du suppléant !

Bloop ! Cling ! Zzz !

Delta-Derby

Cocorico ! Êtes-vous levés ?

Bloop ! Cling ! Dring !

Bêtabidule

Présent.

Bloop ! Dring ! Zzz !

Gammascara

Présente.

Cling ! Dring ! Zzz !

Alpha-Béa

Présente.

Bloop ! Cling ! Zzz !

Delta-Derby

Suis en position.

Le garçon pousse la porte de la clôture en fer forgé qui sépare la propriété du trottoir. Elle **GRiNCE** longuement en s'ouvrant. « Pour une entrée discrète, **c'est raté** », pense Delta-Derby, qui espère ne pas avoir été entendu. Il s'immobilise quelques secondes. Rien ne bouge. Pas même le feuillage des grands chênes qui bornent le terrain. Il n'y a pas le moindre souffle de vent.

Delta-Derby marche jusqu'à la maison, une vieille victorienne qui a l'allure d'une **MAISON HANTÉE**. Exactement comme celles qu'on voit dans les émissions dont il raffole et dans lesquelles s'agitent des **ESPRITS FRAPPEURS** et des revenants aux **YEUX ROUGES**. « On dirait qu'elle est vivante », songe l'enquêteur, qui frissonne malgré lui.

Sur le toit se dresse un gigantesque et étrange paratonnerre. À l'époque, les Therrien-Cinq-Mars, qui animaient une émission sur les **OVNIS** à la télé communautaire, avaient en effet installé, sur la plus haute tour de leur demeure, une longue tige autour de laquelle gravitait un système solaire imaginé par eux à la lumière de leurs recherches. Lorsqu'il ventait, les planètes, au compte de quinze, volaient en tout sens.

Un jour, les ovniologues ont déménagé sans laisser d'adresse. Des mauvaises langues ont dit qu'ils avaient été **ENLEVÉS** par des Martiens.

Delta-Derby observe le paratonnerre quand, tout à coup, il a une révélation : « C'est **un phare** qui dirige les **SOUCOUPES** dans l'espace et leur montre où se poser ! »

APEURÉ, mais prêt à tout pour faire triompher l'ABCD des Zalphajusticiers, le garçon s'engage dans l'allée qui mène à l'arrière de la maison. Pour le plus grand déplaisir de l'agent secret, elle n'est pas très large et la végétation est luxuriante. Aussi, malgré sa hardiesse et sa détermination, il a envie de crier lorsque des feuilles le frôlent. Elles lui rappellent un **vieux film** qu'il a déjà vu avec ses amis, *L'invasion des profanateurs*, dans lequel des plantes extraterrestres, en poussant, **clonaient** et remplaçaient les humains durant leur sommeil. Lui et ses amis n'en avaient pas dormi durant des semaines.

CRAC ! L'espion marche sur une branche. Il s'immobilise et compte jusqu'à trois. Rien ni personne ne réagit. Il reprend son exploration des lieux et se rend jusqu'à l'arrière de la maison, où se dessine la **silhouette** d'un solarium. La lumière du jour a beau poindre à l'horizon, il fait encore trop noir au goût de Delta-Derby! Comment va-t-il s'y prendre pour voir à l'intérieur?

Tout à coup, **CLiC!** une lumière s'allume à l'extérieur. Une sentinelle! «Crotte de ventouse!» Delta-Derby se jette derrière un arbuste, sur l'herbe humide, au moment où la lumière s'allume dans le solarium. Il aperçoit alors le suppléant, vêtu d'un pyjama à pattes sur lequel sont imprimées des **fusées**. Dans ses bras, il tient un petit chien, un chihuahua portant une combinaison lunaire. Le chien jappe. Il a senti sa présence.

— Mais non, assure monsieur Sergio en ouvrant la porte-moustiquaire et en scrutant son terrain. Tu vois bien, Pluton! Il n'y a pas un **Terrien** dehors! Ce doit être le matou du voisin ou une mouffette.

La porte se referme. Le suppléant rentre, son chien toujours dans les bras. Puis, la lumière s'éteint. Delta-Derby attend quelques secondes avant de se relever. Il en a assez vu. Il lui faut quitter les lieux, **PRESTO!**

Il est rendu au milieu de la petite allée bordée de végétaux, quand il reconnaît les sons étranges captés par Bêtamouche plus tôt cette semaine. Sauf que cette fois, ils sont accompagnés de jappements.

— UHIUH UHIUHHHH **OUAF !** **OUAF !** UHIOU !

Les cheveux **DRESSÉS** sur la tête, Delta-Derby lève lentement les yeux. Tout en haut, dans ce qui doit être le grenier de la demeure, derrière une fenêtre circulaire, des lumières jaunes, rouges, vertes et bleues s'allument et s'éteignent simultanément, en harmonie avec les sons et les jappements.

Médusé par ce phénomène, Delta-Derby prend ses jambes à son cou. Il est sur le point d'atteindre la clôture, quand il trébuche sur une racine. Une douleur fulgurante à l'orteil lui arrache **UN CRI**. Sans attendre, il se relève et boitille à une vitesse **super-sonique** jusqu'au coin de la rue, où il s'arrête pour écrire à ses amis.

Bloop ! Cling ! Zzz !

Delta-Derby

Le suppléant a un chien martien. Ils se préparent à l'arrivée du vaisseau mère de leur colonie, j'en ai l'intuition ! Je vous raconte à l'école. En passant, je viens de perdre l'ongle de mon gros orteil.

15

SAVENT-ILS QU'ON SAIT ?

7 h 26

Quand Béatrice se présente au quartier général des **Z**, son cahier de mots croisés dans une main et son stylo dans l'autre, Erby y est déjà. Au-dessus d'eux, le ciel est **NOIR**, **MENAÇANT**.

Louis-Benjamin ne tarde pas à les rejoindre, précédé par son Bêtarobot. Ses yeux clignotent quand il annonce, avant d'éclater d'un rire métallique :

— BEAU-MA-TIN-POUR-SAU-VER-LE-MONDE ! HA-HA-HA-HA-HA !

— Oui, mais faisons-le avec goût et élégance, répond May-Lee.

Cette dernière tourne sur elle-même, pour que ses amis puissent admirer la robe cousue de **paillettes** argentées qu'elle a dénichée à la friperie où sa grand-mère fait du bénévolat. Elle s'est également coiffée d'une perruque aux longs cheveux blancs et brillants.

— **QUOI ?** dit-elle à ses amis, dont les yeux écarquillés affirment qu'elle en fait un peu trop. Il faut bien s'acclimater ! N'est-ce pas ce que l'homme disait, hier, dans la vidéo ?

174

— **Mmm...** tu as un look d'étoile...
é-blou-is-san-te, répond Alpha-
Béa avec un petit sourire, notant le
mot dans son cahier, dans les cases
destinées à un synonyme du mot
«brillante».

Puis, elle se tourne du côté d'Erby.

— Peux-tu nous faire un compte
rendu de ta mission?

Le récit du garçon est consternant.

— Le pire, dans tout ça, c'est **MON
ONGLE**. Je l'ai retrouvé dans ma
chaussette en revenant chez moi.

— Est-ce que tu l'as perdu avant ou
après avoir frôlé le feuillage de l'allée?
demande Gammascara.

— **PARDON ?**

— Bien, ton histoire me fait penser au film, tu sais… les plantes qui remplacent les humains… Alors, je me demande : est-il en train de te pousser une racine à la place de l'orteil ?

— **Ah…** Je pense qu'il s'est décollé après… Que dit mon **horoscope ?** Est-ce que les étoiles ont de bonnes ou de mauvaises nouvelles pour moi ?

— Je pensais que tu ne croyais pas à l'astrologie.

— Qui ne croit pas à l'horoscope ? demande une voix masculine qui les fait sursauter.

— **MONSIEUR SERGIO !!!!**

Qu'est-il venu faire à leur repaire ? Sait-il qu'ils savent ?

Le suppléant braque son regard menaçant sur Erby :

— Jeune homme, aurais-tu oublié de me livrer mon journal ce matin ?

C'EST BIEN VRAI ! Il était tellement énervé, durant sa mission, qu'il a totalement oublié de déposer le journal dans la boîte prévue à cet effet. C'est d'ailleurs pour cette raison qu'il lui en restait un, au retour de sa tournée.

Honteux d'avoir été pris en défaut, il ouvre son sac, sort le journal et le tend à son client, qui le prend, le remercie et tourne les talons.

Quand elle juge qu'il est assez loin, May-Lee souffle, sous le choc :

— Monsieur Sergio a un regard perçant. On aurait dit qu'il passait Erby aux **rayons X**... Puis, avez-vous vu comment il est habillé ? On dirait qu'il porte un uniforme en peau de lézard !

— Oui, il est tout couvert d'écailles, ce matin. De plus en plus inquiétant, souffle Béatrice, abasourdie. Chose certaine, il faut être prêts pour vendredi. Erby, peux-tu élaborer **un plan d'opération ?**

Le garçon hoche la tête. « Il est bien blême », pense May-Lee, qui l'observe attentivement. « Sûrement à cause de la fatigue. À moins que ce ne soit la plante invasive qui commence à germer dans son pied. »

Béatrice ajoute, prenant des notes dans son calepin :

— May-Lee et Louis-Benjamin, est-ce qu'on peut compter sur vous pour ce qui est du **camouflage** et des gadgets utilitaires ?

D'une seule voix, les agents répondent :

— **Affirmatif.**

La cloche sonne, annonçant le début d'une nouvelle journée. Ils se lèvent en observant le suppléant, qui lit le journal près de l'entrée.

— Profitons-en, dit **LUGUBREMENT** Erby. C'est peut-être une des dernières fois que nous pourrons apprécier la chaleur et la lumière du soleil. Celui-ci en tout cas.

— **Tu as raison**, Erby, répond May-Lee. Même si le ciel est plutôt sombre aujourd'hui, savourons chaque moment. D'ailleurs, si j'étais toi, j'éviterais de mettre les pieds dans l'eau, pour ne pas nourrir les fleurs.

Comme pour faire écho aux propos de l'apprentie astrologue, il se met à pleuvoir finement. Alerté par la mise en garde de May-Lee, Erby, qui ne sait plus à quoi il doit croire, mais qui ne veut prendre aucun risque, court se mettre à l'abri.

— Il est **BIZARRE**, lui, dit un élève.

— Ouais, c'est pas la pluie qui va le faire fondre, dit un autre.

— Vous ne savez pas ce que la pluie peut faire, en vérité, leur répond May-Lee, énigmatique.

— **HEILLE...** elle, elle est trop étrange, dit l'un des trois élèves à ses camarades, en désignant son accoutrement. Est-ce qu'elle se prend pour un personnage de *La Guerre des étoiles*?

« C'est ça, **MOQUEZ-VOUS** de moi, se dit Gammascara. Vous rirez moins quand les Petits-Gris vous plongeront dans des aquariums remplis de jus vert et de bulles pour vous cloner! Qui sera là, alors, dans toute sa splendeur, pour vous sauver? **Eh oui**, ce sera moi!»

★Vierge★

Vous avez été contaminé et vous
vous transformerez bientôt.
En quoi? Nul ne le sait.
La bonne nouvelle, c'est que
vous demeurerez vivant.
Sous une nouvelle forme,
bien sûr.

TRANSFORMATIONS

8 h 16

602

— Ce matin, annonce madame Clarice, l'enseignante de musique, j'ai **une surprise !** Une collègue, qui étudie la technologie sonore, m'a donné un **MODULATEUR** de voix. **Quelqu'un veut l'essayer ?** May-Lee ?

La jeune fille rejoint son enseignante, qui lui tend un micro.

— Chante, je vais tester les boutons de la console.

May-Lee entonne une chanson de son idole, tandis que son enseignante manipule le modulateur. Pour le plus grand plaisir de ses camarades, la voix de la chanteuse monte dans les aigus, descend dans les sons très graves. Puis, l'enseignante tourne un bouton. La voix de l'élève **COBAYE** se métallise alors et adopte des accents de harpe et de carillon. On a l'impression que May-Lee chante dans une langue appartenant à une civilisation des **confins des galaxies**.

Espionne sentimentale

En mission dans les étoiles

En état d'apesanteur

Il y a un ovni dans mon cœur

— Tu ferais **fureur** dans l'espace ! s'exclame son enseignante.

La jeune fille rend le micro à madame Clarice.

— Je m'y prépare **SÉRIEUSEMENT**.

Les propos de May-Lee provoquent **L'HILARITÉ** des élèves. La jeune fille leur sourit, radieuse. « Une **diva espionne** doit maîtriser ses émotions en tout temps, tout comme il lui faut entretenir son image et demeurer **mystérieuse**. Irma, si tu me voyais, tu serais fière de moi. »

604

En arrivant devant le local de son groupe, Erby voit d'abord des traces brillantes et vertes sur le cadrage de la porte, juste à côté de la boîte où l'on dépose les messages. Puis, il constate que monsieur Yves est absent.

Bloop ! Cling ! Zzz !

Delta-Derby

C'est la surveillante du dîner qui remplace mon enseignant. Est-ce qu'on l'aurait enlevé lui aussi ?

Bloop ! Cling ! Dring !

Bêtabidule

J'envoie Bêtamouche faire un
tour de reconnaissance.

Bloop ! Dring ! Zzz !

Gammascara

Pour ma part, je suis présentement
en musique. Je ne sais donc
pas ce que fait le stagiaire.

Cling ! Dring ! Zzz !

Alpha-Béa

On verra cela plus tard : le
suppléant m'a à l'œil.

Erby vient de ranger son appareil,
quand monsieur Yves entre dans la

classe. Il salue la surveillante, qui lui sourit avant de sortir. L'enseignant se rend à son bureau en marchant comme un **ZOMBIE ROBOTISÉ**.

Monsieur Yves pose un gros sac en plastique sur son bureau, qui tombe sur le côté. Toutes sortes d'objets en sortent : des assiettes d'aluminium, des rouleaux de papier essuie-tout, des feuilles de papier cellophane rouge et vert.

En soupirant, l'enseignant ramasse les objets et les remet maladroitement dans le sac avant de se laisser tomber sur sa chaise. «Mais… son nez coule et ses yeux **SONT ROUGES!**» constate Erby, consterné.

— Qu'est-ce qu'il y a, garçon ? demande monsieur Yves en reniflant. Tu as une question ?

« Dis quelque chose ! **N'IMPORTE QUOI !** »

— **C'EST QUOI, ÇA ?** demande-t-il en désignant le fouillis.

— Des objets, **SNIF**, pour faire des soucoupes volantes. On va, **SNIF**, faire un beau mobile pour l'activité de vendredi.

Pendant qu'il parle, l'enseignant met une feuille de cellophane vert devant son visage. Veut-il faire **une blague ?** Montrer son vrai visage ? Ou plutôt son **nouveau visage ?**

Pour Erby, soudain, tout devient clair : «On l'a **TRANSFORMÉ !** Il a des sécrétions nasales et ses yeux sont irrités parce qu'il doit s'habituer à sa nouvelle peau !»

— **Ça va ?** demande monsieur Yves.

— Ça va. Et vous ?

— **BAH...** je ne suis pas tout à fait moi-même, **SNiF**, ce matin.

Pour ajouter à **L'HORREUR** de cette scène, la voix de la secrétaire résonne dans l'interphone :

— **CROUUUUCH...** Chers ensei... **CROUCH**, n'oubliez **CROUCHHHH...** **CROUCH...** invitations pour la sortie **CROUCHHHH...**

Tout en écoutant le message, monsieur Yves sort un livre de son sac, qu'il range **rapidement** dans son tiroir. Toutefois, Erby, qui a les réflexes aiguisés, a eu le temps de noter son titre : *Apprendre à vivre comme les Terriens.*

Bloop ! Cling ! Zzz !

Delta-Derby

Monsieur Yves est là, finalement ! Mais il a été cloné, transformé ou robotisé. Je ne suis certain de rien pour le moment. Par contre, je pense savoir comment l'opération a eu lieu.

Bloop ! Cling ! Dring !

Bêtabidule

Comment ?

Bloop ! Cling ! Zzz !

Delta-Derby

Je crois que les lumières et les sons dont nous avons été témoins proviennent d'une ou de plusieurs machines à transformer...

Cling ! Dring ! Zzz !

Alpha-Béa

Peut-être bien qu'ils y ont été trop fort avec madame Nathalie, ce qui expliquerait sa disparition !

Bloop! Dring! Zzz!

Gammascara

Elle aurait été pulvérisée?
Punaise! Oh! Le stagiaire vient
de passer devant la classe de
musique avec un sac sous le
bras. Je le prends en filature.

602

— Madame Clarice, est-ce que je peux aller aux toilettes?

— Il me semble que j'ai **DÉJÀ** donné des consignes à ce sujet: on passe à la salle de bains **AVANT** d'entrer en classe. Est-ce que tu viens d'une **AUTRE PLANÈTE?**

— Non. **ET VOUS ?**

— **PARDON ?**

— Ça presse beaucoup !

— Bon, alors vas-y, mais fais vite.

Au moment où May-Lee sort du local, elle voit monsieur Martin frapper à la porte de l'atelier du concierge.

La porte s'ouvre. Le stagiaire tend le sac au concierge, qui le prend en disant merci, et referme la porte. Le stagiaire se tourne ensuite et... aperçoit la jeune fille.

— Qu'est-ce que tu fais là ?

— **BiEN EUH...**, bafouille May-Lee en replaçant sa perruque.

L'homme fronce les sourcils.

— Étais-tu en train de m'espionner ?

— **NOOOON !** Bon, je pense que je vais y aller.

— **MOURIS...**, lâche le stagiaire avant de poursuivre sa route.

601

Pendant que ses camarades font des expériences sur la gravité et la luminosité, Louis-Benjamin s'apprête à faire décoller Bêtamouche.

Bloop ! Dring ! Zzz !

Gammascara

> Le concierge est dans le coup !
> Il a pris le sac ! Et puis, je viens
> de passer devant son local. On
> peut y entendre les bruits qu'on a
> captés lundi devant ma classe !

Cling ! Dring ! Zzz !

Alpha-Béa

> Je prends la relève.

Bloop ! Cling ! Zzz !

Delta-Derby

> Sois prudente !

Bloop ! Cling ! Dring !

Bêtabidule

> J'envoie Bêtamouche à ta rencontre.

Cling ! Dring ! Zzz !

Alpha-Béa

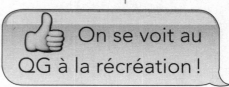

On se voit au QG à la récréation !

603

— Monsieur Sergio, voulez-vous que j'aille porter les feuilles pour la sortie de vendredi à la secrétaire ?

Le suppléant met quelques secondes avant de répondre. Il se tient debout face à la fenêtre, le regard perdu dans l'horizon.

«Je me demande à quoi il pense quand il est **DANS LA LUNE**», songe Béatrice.

— **AH... OUI, OUI,** répond-il en se secouant.

Béatrice prend les feuilles et sort. Elle se rend au secrétariat en passant d'abord par le local du concierge. Bêtamouche vient à sa rencontre. Louis-Benjamin la voit à travers les yeux de son automate ailé.

Cling ! Dring ! Zzz !

Alpha-Béa

J'entends des voix !

Bloop ! Cling ! Zzz !

Delta-Derby

Qui est avec le concierge ?

Cling ! Dring ! Zzz !

Alpha-Béa

Madame Sylvette !

Soudain, la porte s'ouvre. Paniquée et cherchant un endroit où se cacher, Béatrice se précipite dans la classe de maternelle. Du coin de l'œil, elle voit sortir la secrétaire du local, suivie du concierge. Ils rigolent. « **C'est drôle**, remarque la jeune espionne, monsieur Gilles a un je-ne-sais-quoi de différent. Il a l'air... **MÉTAMORPHOSÉ**. »

En effet, il ne ressemble plus tout à fait à sa **photo d'employé**, qui est exposée sur le mur, en face de la classe, à côté des portraits des autres membres du personnel de l'école. «Qu'est-ce qu'il a de changé?» se demande encore Béatrice en scrutant simultanément le cliché et le concierge.

Derrière l'agente secrète, on toussote.

— Est-ce qu'on peut faire quelque chose **POUR TOI?** demande l'enseignante.

— Euh non, je me suis juste trompée de local, désolée.

Béatrice quitte les lieux d'un pas mal assuré. Derrière elle, les petits éclatent de rire. «Ils sont chanceux de vivre dans l'innocence. Dire qu'ils pourraient sous peu être changés en robots, en plantes ou servir de pâture à des **monstres gigantesques** !»

✯ Balance ✯

Après avoir pesé le pour
et le contre, vous avez décidé
de sauter. Vous devez faire face
à votre destin. Que Saturne
vous vienne en aide !

MARCHER SUR DES ŒUFS

10 h 2

Quand sonne la récréation, les **Z** courent à leur repaire. Là les attend Bêtabidule, en train d'étudier l'écran de son téléphone.

— Les images le prouvent : la matière détectée sur la porte de la classe est la même que celle découverte plus tôt cette semaine par Delta-Derby dans le corridor : elle est **VERTE**, **FLUO** et pleine de **MINUSCULES BOULES** d'un vert plus foncé.

— Mais qu'est-ce que c'est au juste? demande Gammascara en maquillant ses yeux comme ceux d'un Petit-Gris. L'homme, dans la vidéo, n'était pas clair à ce propos.

Les yeux rivés à son écran, Bêtabidule pince les lèvres et hausse les sourcils. Delta-Derby regarde par-dessus son épaule.

— C'est peut-être de la **CROTTE D'EXTRATERRESTRE**, lâche-t-il.

Cette hypothèse rebute Gammascara.

— **DÉGUEU!** Vous avez pensé aux risques de contamination?

Elle sort une petite bouteille de gel désinfectant de son sac à paillettes et s'en vide une bonne quantité dans la paume.

Delta-Derby poursuit :

— C'est peut-être du **SANG** !

— **Mouais**, répond Bêtabidule, peu convaincu. Je n'ai vu aucun blessé dans l'école.

Soudain, Delta-Derby a une idée :

— C'est peut-être du mucus reptilien servant à fixer des œufs ! Si vous remarquez bien, dit-il en examinant les photos, la deuxième trace a été découverte sur le cadrage de la porte, juste à côté de la boîte où l'on dépose les messages. On peut donc penser que l'extraterrestre qui les a pondus a tenté de mettre **SES ŒUFS** à l'abri. Mais on l'aurait surpris avant qu'il réussisse à le faire.

— Et dans le cas de la première trace, sur le plancher du corridor? demande Alpha-Béa.

— Habituellement, les reptiles pondent sur le sol, sous les roches. Peut-être que la première ponte a eu lieu sur un carton, que l'extraterrestre a tenté de cacher sous un banc, un bac… mais un événement, une personne l'en aurait empêché…

— Possible, admet Alpha-Béa, en réprimant un **FRiSSON**. Mais, en revenant au bras taché de vert du suppléant, je me demande si les traces que tu as découvertes ne pourraient pas plutôt être de la peau nourrie par de la **chlorophylle**. Dans ce cas, les petites boules seraient des bourgeons ou des racines pourvues de ventouses microscopiques. Un genre de bactéries *cloneuses* de chair.

— Ça se pourrait, répond Delta-Derby, la gorge nouée à l'idée de ce qui pourrait lui arriver à lui, après avoir mis un pied dans la matière, puis frôlé les végétaux de la maison de monsieur Sergio. Comme on le dit dans mon émission préférée : « Imaginez le pire, car… **tout est possible !** »

— C'est exactement ce que raconte Irma Hata dans *Métamorphoses improbables*! s'exclame Gammascara.

Muer, quitter sa peau

Voler, toujours plus haut

Changer de vêtements, de vaisseau

Briller comme des cristaux

Devenir un robot

Un serpent-oiseau

— Peu importe ce qu'ils sont, conclut Alpha-Béa, il faut les arrêter : le suppléant, le stagiaire, la secrétaire et peut-être même le concierge et monsieur Yves. Mais on doit aussi retrouver et libérer madame Nathalie avant que les **ENVAHISSEURS** s'en retournent sur leur planète. Êtes-vous prêts à tout pour y arriver ?

Les justiciers hochent la tête en signe d'assentiment.

— Je ferai tout pour vous aider, répond gravement Delta-Derby, que son gros orteil démange. Si jamais je me **MÉTAMORPHOSE**, je continuerai à vous soutenir comme je le pourrai.

— T'en fais pas, lui dit Gammascara pour le réconforter. Si tu deviens une plante, je prendrai bien soin de toi.

— Si tu te transformes en reptile, je t'aménagerai une place dans le vivarium de ma tortue, lui promet Alpha-Béa.

— Et moi, assure Bêtabidule, je consacrerai **ma vie** et mes recherches à essayer de te ramener à ta forme humaine.

Le stagiaire, qui surveillait la cour pendant la récréation, interrompt ce moment émouvant en criant :

— **HÉ ! HO !** Vous n'avez pas entendu la cloche ? Allez, dans l'école ! Vous ferez des plans pour changer le monde plus tard !

Surpris, les **ZALPHAS** sursautent.

— On doit passer à la vitesse supérieure, dit Alpha-Béa entre ses dents

en ne quittant pas monsieur Martin
des yeux : les **ENVAHISSEURS**,
décidément, semblent toujours avoir
un coup d'avance sur nous.

18

LES RÉPARATEURS

10 h 22

603

À son bureau, Alpha-Béa songe aux événements qui se précipitent depuis le début de la semaine. «C'est épouvantable. Comment cette histoire va-t-elle se terminer? Mais…»

À travers la fenêtre, la journaliste espionne voit un **camion blanc** se garer dans le stationnement de l'école. Il n'y a rien d'écrit sur le

213

véhicule. **Une longue antenne**, posée au-dessus du toit, lui met toutefois la puce à l'oreille. Deux hommes sortent soudain du camion et se dirigent vers l'entrée principale de l'établissement.

Cling ! Dring ! Zzz !

Alpha-Béa

Deux individus non identifiés viennent d'entrer dans l'école.

Bloop ! Cling ! Dring !

Bêtabidule

Description SVP ?

Cling ! Dring ! Zzz !

Alpha-Béa

> Ils sont tout de blanc vêtus :
> chaussures, combinaisons, gants,
> casquettes. Et… ils sont identiques.

Bloop ! Dring ! Zzz !

Gammascara

> Ils viennent de passer devant
> ma classe. Ils se dirigent vers
> ton groupe, Delta-Derby.

Bloop ! Cling ! Zzz !

Delta-Derby

> Je les prends en charge.

Juste à ce moment, par un **HASARD PROVIDENTIEL**, monsieur Yves demande :

— Qui veut, **SNiF**, aller porter cette pile de signets à la bibliothèque, **SNiF** ?

— **MOI !** répond Delta-Derby en se levant brusquement.

— T'aimes ça, toi, rendre service, dit l'enseignant. C'est bien. Tiens. **SNiiiiF**.

En prenant les signets, la main de Delta-Derby frôle celle de l'institu-teur. Il ressent alors un **grand choc**.

— Ça va? demande l'enseignant, qui a les yeux plus rouges que jamais. C'est rien que de, **SNiF**, l'électricité statique!

— Oui, oui, répond le garçon en clopinant vers la sortie de la classe.

Bloop ! Cling ! Zzz !

Delta-Derby

> Je les vois. Ils viennent de tourner le coin du corridor. Ils marchent vers le secrétariat.

Bloop ! Cling ! Dring !

Bêtabidule

> Je t'envoie Bêtamouche.

Bloop ! Cling ! Zzz !

Delta-Derby

> J'entre dans le secrétariat.

Cling ! Dring ! Zzz !

Alpha-Béa

> Prudence !

En entrant dans le local, Delta-Derby maintient la porte entrouverte pour laisser passer la mouche robotisée. Un léger **BOURDONNEMENT**, puis la vue d'une mouche argentée l'avertissent de son arrivée. Au fond du local, la porte qui donne sur une petite pièce, où se trouvent le photocopieur et les pigeonniers des enseignants, est entrouverte. Des voix

en sortent. Parmi elles, la voix de la secrétaire, enrouée :

— Je ne peux plus l'utiliser.

— Voyons voir, répond l'un des deux hommes.

— Si vous appuyez sur ce bouton, vous allez vous en rendre compte.

— Compris, répond le deuxième homme. **ATTENTION**, je vais prendre un outil.

Dissimulé derrière le comptoir, Delta-Derby écoute, **MÉDUSÉ**. Des grésillements se font entendre. Puis, la secrétaire crie, tandis que des **FLAMMÈCHES** s'échappent dans l'embrasure.

« **VENTOUSE À POILS !** se dit Delta-Derby. Ils sont en train de mettre à jour les systèmes de la secrétaire ! » Jugeant plus prudent de se replier, le garçon va filer à l'anglaise quand son téléphone sonne, alertant les gens qui se trouvent dans la petite pièce.

CLAC ! CLAC ! CLAC ! Terrifié, l'agent secret entend les pas de la secrétaire qui vient vers lui. Clac ! Clac ! Clac ! « Rien ne sert de me sauver, elle doit me voir dans un écran radar. Aussi bien me relever et lui faire face. De toute façon, je ne suis pas seul. Bêtamouche est là. » **CLAC ! CLAC ! CLAC ! CLAC !**

— **Y a quelqu'un ?** demande la secrétaire.

À travers l'œil de la caméra, Bêtabidule voit son ami se redresser lentement. Madame Sylvette manifeste sa surprise en le voyant surgir de l'autre côté du comptoir.

— Qu'est-ce que tu fais là? Pourquoi tu te caches?

— **EUH...** J'attachais mes lacets.

— **Mmmm...** Qu'est-ce que je peux faire pour toi?

Le garçon lui tend les signets.

— Ils ne vont pas à la bibliothèque?

— **BiEN OUi!** Excusez-moi! Je suis tout mêlé!

Dans l'entrée du cagibi, les deux hommes observent le garçon.

« Ils doivent avoir eu le temps d'enregistrer mon image, de me mettre sur la liste des **MENACES** à neutraliser. Mais… peut-être aussi qu'ils me reconnaissent comme l'un des leurs à cause de mon orteil, des plantes et de la matière verte. »

— Bon, je vais y aller, dit Delta-Derby avec un sourire forcé.

— **Attends !** lui dit la secrétaire.

Elle ouvre un tiroir. Qu'est-ce qu'elle va en sortir ? Un pistolet rapetisseur ? Un vaporisateur paralysant ? Un bidule qui produit des flashs lumineux qui font perdre la mémoire, comme dans *Les hommes en noir*?

— Donne ça à monsieur Yves, dit-elle en lui remettant une enveloppe jaune. Et rapporte ce livre à la bibliothèque.

Content de s'en tirer à si bon compte, le garçon prend les objets qu'on lui tend et se dirige vers la sortie sans délai.

Bêtabidule, qui veut connaître le titre du volume qu'a son ami entre les mains, règle l'objectif de son automate. Il manque d'échapper son téléphone quand **il le voit enfin** : madame Sylvette lisait *Les robots* d'Isaac Asimov!

ENTOURÉS DE ROBOTS

11 h 52

— **C'est confirmé**, dit Delta-Derby à ses amis avant d'insérer une paille dans un sac de purée de macaroni au fromage Stellaire. Les hommes en blanc étaient des **RÉPARATEURS D'AUTOMATES**. Ils sont venus régler les composantes de madame Sylvette.

Comme pour corroborer cette hypothèse, la voix de la secrétaire résonne clairement dans l'interphone de la salle des dîneurs :

« Un moment, s'il vous plaît… Alex-Sandra Bouthillette-Sanschagrin est demandée au secrétariat. »

— **Vous avez entendu ?** ajoute Delta-Derby. Il n'y a plus une trace de métal dans sa voix, plus de friture sur la ligne.

— **C'EST TROUBLANT**, dit Alpha-Béa avant de croquer un morceau de céleri. Elle est à la fois si humaine et si… robot.

Gammascara se tourne vers Delta-Derby :

— Qu'est-ce qu'il y avait dans l'enveloppe de monsieur Yves?

— Une étoile en carton multicolore. Il l'a affichée sur le babillard de la classe.

— As-tu vérifié si elle était en vrai carton? demande Bêtabidule.

— Oui. Elle était en carton tout ce qu'il y a de plus normal.

Gammascara étend de la tapenade sur des biscottes en forme de lune.

— Il faut se **MÉFIER** des apparences. Dans son dernier film, Irma utilise ce qui semble être du fard à paupières en poudre pour révéler les empreintes digitales d'un espion ennemi.

— Elle a raison, enchaîne Bêtabidule. Ce qui ressemble à une simple étoile pourrait être en réalité un outil, **une clé.**

Delta-Derby hoche la tête en avalant une gorgée de macaroni liquide.

— L'étoile est peut-être un cadeau pour lui dire que les **ROBOTS EXTRATERRESTRES** l'accueillent parmi eux…

— Ça veut dire qu'ils sont probablement plus nombreux qu'on pense, souffle Gammascara.

— Et la plupart d'entre eux nous sont inconnus, ajoute Alpha-Béa. En passant, regardez ce que j'ai trouvé sur le plancher, près des toilettes, en venant dîner.

La jeune fille sort une feuille de la poche de son jeans. Il s'agit d'une page blanche sur laquelle sont tracées des lignes horizontales, entre lesquelles sont dessinés des ovales colorés en jaune, rouge, bleu et vert, reliés entre eux par des lignes brisées.

— Comme les lumières que j'ai vues chez monsieur Sergio !

— C'est peut-être **un mode d'emploi**, dit Bêtabidule en examinant le document.

— Ou un **CODE SECRET**, lance Gammascara.

— Ou encore un **message**, souffle Alpha-Béa en rangeant cette pièce à conviction dans un sac en plastique vide.

— Oui, un **ordre** envoyé de l'espace, qui dit « Envoyez toute la flotte et ramenez des cobayes ! » lâche Delta-Derby d'une voix blanche.

Les lumières s'allument et s'éteignent dans la salle, faisant tressauter les **ZALPHAJUSTICIERS**.

— Rangez vos boîtes à lunch ! dit un surveillant, les mains en porte-voix. On va jouer dehors !

Les **4Z** échangent des regards atterrés. **JOUER ?** Quelle activité futile

quand on sait que le ciel est à la veille
de nous tomber sur la tête !

☆ Scorpion ☆

Aujourd'hui,
ça ne pourrait pas être pire.
Les astres s'acharnent sur vous.
Tempête de météorites
à l'horizon. Aux abris !

UN CONGÉ IMPRÉVU

Jeudi, 6 h 32

Cling ! Dring ! Zzz !

Alpha-Béa

> Est-ce que la chaîne téléphonique s'est rendue jusqu'à vous ?

Bloop ! Dring ! Zzz !

Gammascara

> Non. Pourquoi ?

Bloop ! Cling ! Zzz !

Delta-Derby

> L'école est fermée à cause d'un dégât d'eau. C'est louche, vous ne trouvez pas ? Point positif : on a une journée devant nous pour préparer notre opération.

Bloop ! Cling ! Dring !

Bêtabidule

> D'accord avec toi, Delta-Derby. Ce dégât survient à un drôle de moment. Profitons de ce congé pour aller voir les lieux où les extraterrestres ont atterri.

Cling ! Dring ! Zzz !

Alpha-Béa

👍 On se rejoint à neuf heures à l'observatoire ?

Bloop ! Dring ! Zzz !

Gammascara

Bloop ! Cling ! Zzz !

Delta-Derby

J'y serai.

9 h

Quand les agents secrets se présentent au rendez-vous, Alpha-Béa est déjà sur place, calepin à la main, en train d'examiner les lieux.

— Ce qui est surprenant, explique l'enquêteuse, c'est que, d'ici, on ne voit rien des traces dont la télé faisait mention.

En parlant, elle entraîne ses camarades vers l'intérieur du champ, parmi les plants de maïs.

— **Mais regardez!** À certains endroits, la végétation a été taillée au ras du sol…

— Est-ce que ça veut dire que le tuyau d'échappement du vaisseau qui a atterri ici a des lames? demande Gammascara en remontant le col de son imperméable doré.

— Vraiment curieux, répond Delta-Derby en laissant s'écouler une poignée de terre de sa main.

— Chose certaine, dit Bêtabidule, le nez rivé à l'écran de son cellulaire, la taille des traces nous renseigne bien sur **l'immensité** de l'engin qui s'est posé chez nous.

Bêtabidule appuie sur un bouton. Les **ZALPHAS** peuvent alors voir les images de **BÊTAMOUCHE** dans leur propre écran.

— **ISSSSH !** Elles sont **géantes**, ces empreintes ! On dirait qu'on a voulu créer un labyrinthe cylindrique !

— **Mouais**, répond Delta-Derby. Elles me font penser à un film, que j'ai déjà vu, où des **ARAIGNÉES MARTIENNES GÉANTES** chassaient les Terriens. Elles les coinçaient dans des enclos et…

— Épargne-nous les détails, dit Alpha-Béa pour l'interrompre. C'est déjà assez **ÉPEURANT** de savoir qu'on découvrira le vrai visage des suspects demain.

Bêtabidule range délicatement Bêtamouche dans une boîte qu'il glisse dans la poche de sa veste.

— Pensez-vous que le dégât a un quelconque lien avec notre affaire?

— Peut-être, lâche Gammascara. Est-ce qu'on l'aurait provoqué pour faire évacuer l'école ? Est-ce que la canalisation de l'école aurait un quelconque rapport avec le vaisseau qui a atterri ici cette semaine ? Serait-il caché **sous** l'école ? Qui était à son bord ? Monsieur Sergio ? Monsieur Martin ?

— Nous le saurons bien assez vite, répond Alpha-Béa. En attendant, nous avons **une mission** à préparer. Pour ma part, j'ai un rapport à rédiger sur nos découvertes du matin.

— Moi, dit Gammascara, je vais aller faire un tour à la friperie pour nous trouver des tenues de circonstance.

— Si vous me cherchez, dit à son tour Bêtabidule, je serai à mon atelier.

— Et moi, annonce Delta-Derby, dont l'orteil picote, je vais travailler au plan de notre opération.

— Alors, on se revoit demain. Bon travail, les **Z** ! **N'oubliez pas que le sort des humains est entre nos mains !**

★ Sagittaire ★

Force et adresse sont de rigueur. Le zodiaque est sens dessus dessous. Ça va barder sur la carte des étoiles !

JOUR E

Vendredi, 19 h 56

«Aujourd'hui, note Alpha-Béa dans son calepin, l'école était toujours fermée, car le dégât n'avait pas été entièrement contenu. Du moins, c'est ce qu'on a raconté aux parents grâce à la chaîne téléphonique. Toutefois, nous a-t-on assuré, il y aura des cours lundi. En attendant, a-t-on encore appris, l'activité entourant le cinquantenaire de l'observatoire, qui était prévue ce soir, doit toujours avoir lieu. Croisons les doigts. C'est le Jour E, ou Jour des Extraterrestres. »

* * *

Bloop ! Cling ! Zzz !

Delta-Derby

> Je suis en position dans l'observatoire.

Bloop ! Cling ! Dring !

Bêtabidule

> Comment es-tu entré ?

Bloop ! Cling ! Zzz !

Delta-Derby

C'était ouvert.

Bloop ! Dring ! Zzz !

Gammascara

C'est peut-être un piège !

Cling ! Dring ! Zzz !

Alpha-Béa

Ça doit seulement être le gardien de sécurité. Mais méfie-toi : on ne sait jamais.

Bloop ! Cling ! Zzz !

Delta-Derby

👍 À plus.

Réunis dans un coin sombre de l'immeuble, les **4Z** se préparent pour leur mission. Ils étendent de la lotion sur leur visage et leurs mains.

— Elle est ultra hydratante, explique Gammascara. Dans la publicité de *Ni vue ni connue*, nom que porte sa crème, Irma Hata présente son produit en racontant qu'il lui a permis de filer entre les doigts d'espions **ENNEMIS** en la rendant glissante !

— Penses-tu qu'elle nous protégera des ventouses ? demande Alpha-Béa, dont le visage est brillant de lotion.

— Si on en étale une bonne couche, nous serons **TELLEMENT GLUANTS** qu'elles ne réussiront pas à se poser sur nous.

Tandis que ses amis se couvrent de lotion, Bêtabidule ouvre son sac à dos. Il en sort des poires à eau :

— J'ai rempli les rouges de jus de citron et les vertes de jus d'oignon. En faisant des recherches, j'ai en effet **découvert** que les reptiles ont l'odorat très développé. Alors, si on a affaire à des Martiens-Serpents, ils n'aimeront pas être aspergés de **JUS D'OIGNON**. Et puis, c'est connu : les serpents n'ont pas de paupières. Vous viserez donc bien leurs yeux pour les faire pleurer.

— Et si c'est des araignées? s'enquiert Alpha-Béa en attachant les poires à sa ceinture.

— Connais-tu quelqu'un qui aime les oignons, toi?

— **Moi!** bougonne Delta-Derby. En tout cas, je les préfère à l'odeur de la crème de Gammascara. **POUAH!**

Ignorant le soupir excédé de Gammascara, Bêtabidule poursuit:

— Au cours de mes recherches, j'ai aussi appris que l'acide citrique contenu dans le citron peut produire de **l'électricité**. Aussi, je crois qu'il pourrait entraver les communications des robots. Avec un peu de chance, ça les fera rouiller et ça irritera leurs ventouses.

Les **Z** écoutent Bêtabidule, impressionnés. Il pense toujours à tout!

— Et puis, ajoute-t-il en fouillant encore son sac à dos, j'ai trouvé ceci dans le coffre à jouets de mon frère. J'en ai pour tout le monde.

Ce sont des gants avec des ventouses réparties dans la paume.

— **Génial!** s'exclame Gammascara, en ajustant le modulateur de voix à sa ceinture et en le branchant à un micro-casque. Un, deux! Un, deux! Je suis chanceuse, madame Clarice m'a prêté son appareil. Je lui ai dit que c'était pour des expériences. Écoutez! J'ai maintenant, moi aussi, une voix de robot!

ALLER AU BOUT DU MYSTÈRE

DANS LES SPHÈRES INTERSTELLAIRES

TENDRE LA MAIN AUX ÉTOILES

SUR LEURS SECRETS, LEVER LE VOILE

Quand elle a terminé son test de son, l'aspirante chanteuse espionne ouvre un sac de sport.

— À la friperie, j'ai trouvé une couverture de survie en aluminium. J'ai cousu un ruban sur un côté et j'ai obtenu une cape! **Regardez** comme elle s'harmonise bien avec ma voix et mes bottes lunaires! Qu'en pensez-vous?

Bêtabidule regarde sa montre.

— **C'est parfait**, mais le temps presse. C'est pour qui, ces lunettes de plongée?

— Elles sont pour toi, si tu les veux. J'ai aussi trouvé ce casque de vélo sur lequel j'ai fixé une lampe frontale. Ce sera pratique, sécuritaire et tout à fait dans le ton.

Bêtabidule prend les objets qu'on lui donne. Tandis qu'il se prépare, Gammascara tend un veston rose imprimé d'étoiles à Alpha-Béa, qui l'enfile tout de go.

— Il te va comme un gant! En plus, il va dissimuler ta combinaison. Tu pourras ainsi te glisser dans la foule sans être remarquée.

Enfin, Gammascara tend un casque de moto recouvert de papier d'aluminium à Delta-Derby. Il le prend en ronchonnant.

— **Comme d'habitude**, je me retrouve avec le matériel le plus **RIDICULE** et le plus lourd…

— Ne te plains pas, rétorque Gammascara, tu seras protégé si jamais tu reçois des débris de soucoupe volante sur la tête, et tu pourras baisser la visière si tu fais face à des lasers, à des flammes ou à des jets de bave empoisonnée.

— Mouais...

— Bien joué, Gammascara ! Qu'est-ce qu'on fait, maintenant ? demande Alpha-Béa.

— On va se disperser, répond Delta-Derby en enfilant son casque, et chacun de nous va prendre un suspect en **filature** : Bêtabidule, le stagiaire ; Alpha-Béa, le suppléant ;

Gammascara, la secrétaire et le concierge ; moi, je me charge de monsieur Yves. Dès que l'occasion se présentera, on les démasquera.

Les justiciers hochent la tête.

— Ça adonne bien, ajoute Delta-Derby, parce que la télé locale est sur place. On va donc intervenir devant la caméra pour mettre toute la ville au courant et permettre à plus de gens possible de se mettre à l'abri.

— Bien, **bonne chance**, les **Z**, dit gravement Alpha-Béa. Et surtout :

Restez aux Aguets
Notez toute Bizarrerie
Qui se rapporte au Cosmos
En cas de doute :
DÉGUERPISSEZ !

Les justiciers se séparent et vont prendre place à leur poste. Ce sera peut-être leur dernière mission. La plus périlleuse d'entre toutes. Mais, pour venir en aide à leur communauté, ils doivent être courageux. Au risque d'être **TRANSFORMÉS** en robots, d'être capturés par des monstres et même d'être emportés à l'autre bout de l'Univers.

⭐ Capricorne ⭐

L'heure de vérité a sonné.
Vous devez faire face
à des ennemis dont vous
ne connaissez pas le visage.
C'est le temps de montrer
votre valeur.

OPÉRATION VENTOUSE

20 h 35

Gammascara branche son modulateur de voix dans la console de son qui alimente les haut-parleurs installés de chaque côté de la scène aménagée dehors, où se tiendra la cérémonie dans quelques instants. L'espionne se glisse ensuite dans la bâtisse, **ni vue ni connue**, comme son idole. Elle vient juste de prendre place derrière une machine distributrice quand elle aperçoit deux suspects.

Bloop ! Dring ! Zzz !

Gammascara

La secrétaire et le concierge sont en vue. Ils discutent. La secrétaire dit au concierge : « J'en voudrais un plus petit. » Le concierge répond : « Oui, pour pouvoir aller partout. » Je répète…

Bloop ! Cling ! Zzz !

Delta-Derby

Pas besoin de répéter. On vient de te lire.

Cling ! Dring ! Zzz !

Alpha-Béa

Comme ils parlent au masculin singulier, ils doivent désigner un vaisseau.

Bloop ! Cling ! Dring !

Bêtabidule

Asd`d;opjgasdg

Cling ! Dring ! Zzz !

Alpha-Béa

?

Bloop ! Cling ! Dring !

Bêtabidule

J'ai de la difficulté à écrire avec
mes gants. Mon téléphone colle à
ma paume à cause des ventouses.
Bref, monsieur Sergio s'est enfermé
dans la salle des employés avec
sa boîte et son chien. Alerte !
Je perçois les mêmes sons qu'on
a entendus cette semaine !

Bloop ! Cling ! Zzz !

Delta-Derby

Il doit communiquer avec l'équipage de son vaisseau !

Cling ! Dring ! Zzz !

Alpha-Béa

Le stagiaire vient d'arriver ! J'aperçois aussi monsieur le directeur.

Dissimulée derrière une porte, Alpha-Béa voit le directeur monter sur la scène extérieure, derrière laquelle se dresse un écran géant.

— **Bonsoir à tous !** Bienvenue à l'observatoire de la ville ! Cette nuit, nous allons vivre un événement exceptionnel, qui sera diffusé en direct sur les ondes de la télévision locale. Nous commencerons la cérémonie avec une vidéo…

Le directeur quitte la scène pour laisser toute la place à l'écran, sur lequel des chiffres défilent dans un ordre décroissant. Ensuite, les images montrent madame Nathalie, assise sur un tabouret, dans un décor où se dresse une fusée, sous un ciel étoilé : « **Chers amis de la Terre**. Ce soir, comme moi, vous vous apprêtez à entrer en contact avec les étoiles… »

Delta-Derby choisit cet instant pour sauter sur scène et s'emparer du micro avec ses gants pourvus de ventouses :

— Les extraterrestres nous attaquent! Ils nous ont réunis ici pour nous enlever en groupe!

La vue du garçon en combinaison, casqué, ganté, avec ses poires de jus **ANTI-ENVAHISSEURS** à la taille, fait sourire tout le monde, sauf le directeur, qui le rejoint sous les projecteurs.

— Ce n'est pas le moment de faire le **FANFARON**. Toute la ville nous regarde.

— Tant mieux, parce qu'un vaisseau spatial peut se poser ici d'une minute à l'autre. Puis, il y a de **fortes chances** pour que le suppléant et le stagiaire soient des Martiens.

Un murmure de **surprise** parcourt l'assemblée.

Le directeur offre un sourire crispé à la caméra.

— À l'école des Étoiles savantes, on a des élèves **enthousiastes**, qui ont mille et une idées.

Et, après une hésitation :

— Est-ce que quelqu'un a vu messieurs Sergio et Martin ?

★ Verseau ★

Des astres, ou plutôt <u>désastre</u>
à prévoir. Prenez garde à ne pas
être touché par la matière
renversée. Vous pourriez être
contaminé ou… dévoré.

BAS LES MASQUES !

20 h 48

Soudain, la voix de Gammascara, **TRANSFORMÉE** par le modulateur, résonne dans les haut-parleurs.

— Le stagiaire est dans la cuisine des employés ! Monsieur Yves vient de le rejoindre, avec madame Sylvette et monsieur Gilles ! Ils préparent quelque chose !

Stupéfaction dans la foule. L'un des caméramans, qui ne veut rien manquer de l'action, suit Delta-Derby et le directeur dans la bâtisse. Gammascara les accueille avec un mouvement de cape du plus bel effet. Toutes les images sont projetées sur le grand écran, auquel le public est rivé. On vit un **grand moment**. Presque autant que la fois où le couple Therrien-Cinq-Mars avait affirmé avoir vu un ovni dans le ciel de la ville.

— **Attention !** avertit Delta-Derby. Ils ont sûrement flairé notre présence !

Soudain, des bruits retentissent. **BiP ! BiP ! BiP-BUP ! BiP-BUP ! MiP-BIP-BIP ! MiP-BIP-BIP ! MiP-BIP-BIP-BOUIP ! MiP-BIP-BUP ! BUUUUUUZZZ !**

Dehors, les gens reculent, effrayés. Un **MONSTRE** va-t-il **SURGIR** en déchirant l'écran ? Du côté des **Z**, Delta-Derby et Gammascara, sur le qui-vive, brandissent leurs poires.

Comme il est le chef de l'école et qu'il passe en direct à la télé, le directeur n'a **pas le choix**, c'est lui qui doit ouvrir la porte.

Celle-ci s'ouvre en grinçant…

Et laisse apparaître le stagiaire, l'enseignant, la secrétaire et le concierge qui poussent un **CRI DE SURPRISE** en apercevant le directeur, les **Z** drôlement accoutrés et le caméraman. Leur réaction a pour effet de faire sursauter les **Z**, le directeur et les spectateurs, qui hurlent à leur tour, **HORRifiÉS.**

Une fois revenu de sa stupeur, le caméraman ajuste son objectif sur un objet circulaire, noir, sur le dessus duquel se trouvent quatre plaquettes lumineuses. L'une est bleue, l'autre jaune, la troisième, verte, et la dernière, rouge.

— Comme vous pouvez le voir, dit le directeur à la caméra avec un soupir de soulagement, ils jouaient simplement à Simon.

D'abord décontenancé, Delta-Derby revient à la charge :

— **Pas si vite !** Madame Sylvette, de quoi parliez-vous, tantôt, en disant au concierge que vous en vouliez « un plus petit » ? Tant qu'à y être, pourquoi avez-vous donné une étoile à monsieur Yves, mercredi ? Et… pourquoi lisez-vous *Les robots* ?

— Je parlais seulement du jeu Simon, disponible en deux modèles : petit, pratique pour les voyages, et plus gros, comme celui-ci, pour la maison. Pour le livre, c'est qu'Isaac Asimov est un auteur que j'aime beaucoup. Quant à l'étoile…

— C'est parce que je suis le champion de l'école à Simon ! dit monsieur Yves pour l'interrompre, fier de lui.

Tandis que le directeur se demande si le personnel s'amuse pendant les heures de travail, se promettant d'y revenir lundi pour éclaircir la chose, monsieur Yves s'essuie l'œil avec un mouchoir.

— **Félicitations**, poursuit Delta-Derby. Mais, pouvez-vous nous dire pourquoi vous lisez des livres sur les Terriens et nous expliquer la raison pour laquelle vos yeux sont aussi rouges, cette semaine? Qu'est-ce qui vous faisait **SOUFFRIR** au point de ne pas vous sentir «vous-même»?

L'enseignant se mouche bruyamment et, prenant soudainement conscience qu'il passe à la télé, il range discrètement son mouchoir:

— Ah… Cette semaine, je ne suis pas au mieux de ma forme. En plus de souffrir **d'allergies saisonnières**, je dois traiter une conjonctivite. Pour ce qui est du livre, il s'agit d'un manuel d'écologie que je compte vous présenter la semaine prochaine. Tu m'as devancé, garçon. En plus d'avoir un grand sens de l'observation, tu as les réflexes vifs, **SNiF !**

Pendant qu'il parle, les autres suspects offrent des sourires figés à la caméra. En justicière qui ne s'en laisse pas imposer, Gammascara se tourne brusquement du côté du concierge :

— Monsieur Gilles, on pense que vous êtes en train de vous **MÉTA-MORPHOSER** : lundi, vous étiez tel que sur votre photo d'employé, et au milieu de la semaine, **POUF !** vous ne vous ressembliez plus ! **Pourquoi ?**

La caméra fixe le visage du concierge, qui s'exclame :

— Enfin quelqu'un qui s'en rend compte ! J'ai un **nouveau** dentier !

Le concierge fait claquer ses dents, d'un blanc **éblouissant**, ce qui fait glousser la secrétaire. Mais Delta-Derby ne lâche pas le morceau :

— Madame Sylvette, nous avons la preuve que vous avez été robotisée…

La caméra se pose sur le visage rougissant de la secrétaire.

— On a vu vos jambes de métal, poursuit Gammascara, implacable. Et votre voix a changé. On s'en est rendu compte en vous écoutant parler dans l'interphone. D'ailleurs, votre **TRANSFORMATION** s'est terminée avec la visite des jumeaux en blanc.

Le directeur s'impatiente. Il va s'interposer quand la secrétaire lui fait un signe. Elle veut parler à la télé, depuis le temps qu'elle en rêve secrètement.

— Mes «jambes de métal», comme vous dites, sont des **orthèses** que mon orthopédiste m'a prescrites pour traiter des problèmes aux genoux. Je les ai eues mardi matin.

La secrétaire soulève sa jupe jusqu'aux genoux pour montrer ses appareils. Elle toussote avant de poursuivre :

— Quant à ma voix, elle résonnait étrangement parce que l'interphone éprouvait des **PROBLÈMES ÉLECTRIQUES**. Il a été réparé par les jumeaux Luneau, de Saturne électrique, des garçons charmants et professionnels qui offrent un service rapide et courtois !

Le téléphone des justiciers sonne.

— Réponds, dit Gammascara à Delta-Derby. Je les ai à l'œil.

Cling ! Dring ! Zzz !

Alpha-Béa

> Demandez au stagiaire s'il sait à quoi je pense en ce moment.

Delta-Derby lit le message et hoche la tête devant l'objectif de la caméra à l'intention d'Alpha-Béa avant de répéter la question à monsieur Martin. Celui-ci, visiblement perplexe, ne peut que répondre par la négative.

Cling ! Dring ! Zzz !

Alpha-Béa

> OK. Dans ce cas, demandez-lui s'il sait en quoi consiste « la matière verte ».

Cette fois, Delta-Derby en est certain, ils tiennent le stagiaire :

— Monsieur Martin, avez-vous quelque chose à nous dire au sujet d'une certaine **matière brillante** et caoutchouteuse qu'on a trouvée collée sur un carton, dans le corridor, et sur le bord de la porte de la classe de monsieur Yves ?

Cette fois, le stagiaire s'agite. Il se sent concerné. Delta-Derby sourit, satisfait. « **Touché !** Un à zéro pour les **Z**… »

— Eh bien, il s'agit d'une expérience secrète menée sur une matière tout aussi top secrète. Lundi, je l'avais apportée à l'école pour en tester la fraîcheur et le moelleux. Elle se trouvait sur un carton que j'ai fait tomber en le transportant en même temps qu'une pile de livres. Je suis allé porter les livres dans la classe, mais quand je suis revenu pour ramasser mon carton, il avait disparu.

Monsieur Martin marque une pause. Dans la foule, le silence est complet.

— Quant aux traces sur la porte, j'ignorais leur présence. J'ai probablement oublié de me laver les mains après avoir manipulé la **SUBSTANCE**. Je ne savais pas qu'elle était aussi tenace. Pour ce qui est du matériau lui-même, il révolutionnera bientôt **le monde !**

Ça y est! Le chat martien va sortir du sac!

Le stagiaire fouille sa poche et en sort une boîte. Il l'ouvre. Dedans se trouve une petite boule verte.

— Pour payer mes études, je travaille à temps partiel à l'Institut des inventions alimentaires, où on a mis au point une nouvelle gomme à mâcher : la **Gommétoilée**. Chaque boule contient de minuscules billes qui libèrent une saveur de pomme verte surette lorsqu'elles éclatent sur la langue.

Le stagiaire porte la boule à sa bouche. Il la mâche à plusieurs reprises.

— La Gommétoilée est savoureuse, tendre, et si je ferme les lumières…

NOIR TOTAL. Quelques secondes passent. Puis, le stagiaire souffle une bulle d'une taille impressionnante qui, chose stupéfiante, s'avère fluorescente et parsemée d'étoiles !

— En plus d'être la première gomme de l'Univers à briller dans le noir, la Gommétoilée est **la seule** à produire des bulles étoilées.

Un murmure d'émerveillement parcourt la foule.

— Bonne nouvelle, poursuit le stagiaire, il y en aura pour **tout le monde** ce soir !

Des applaudissements nourris et des sifflements répondent à cette annonce extraordinaire.

« Voilà au moins quelques points de réglés », pense Alpha-Béa en rayant de son calepin les noms de la secrétaire, du concierge et de messieurs Yves et Martin.

Soudain, la sonnerie de son téléphone retentit.

Bloop ! Cling ! Dring !

Bêtabidule

Madame Nathalie vient d'arriver. Elle sort de sa voiture. Elle court. De qui ou de quoi se sauve-t-elle ? Rendez-vous immédiat dans le stationnement !

ALERTE DANS LE STATIONNEMENT

Sur le grand écran, des images sautillantes montrent le directeur, la secrétaire, le concierge, l'enseignant et trois des **4Z** qui sortent précipitamment de l'édifice.

— Madame Nathalie !

En apercevant le groupe, l'enseignante s'arrête net. Elle est essoufflée.

— Qu'est-ce qui se passe? demande-t-elle en jetant des regards intrigués à la caméra.

— Vous êtes en sécurité ici, explique Delta-Derby en relevant la visière de son casque. Nous avons pris le périmètre en charge.

— **PARDON?!**

— Oui, explique Gammascara, dont la voix robotisée résonne sur tout le site. On ne laissera pas les extraterrestres vous enlever **DEUX FOIS.**

L'enseignante observe les jeunes en silence, cherchant à comprendre ce qui les inquiète. Soudain, son regard s'éclaire.

— Si je courais, tantôt, ce n'était pas pour échapper à des Martiens, mais plutôt parce que **j'étais en retard**. Et puis, cette semaine, loin d'être dans l'espace, j'étais au chevet de ma mère malade. Elle habite, il est vrai, assez loin à la campagne. C'est très difficile d'obtenir une connexion Internet, là-bas. C'est pourquoi j'ai eu autant de difficulté à communiquer avec vous.

Le téléphone des **Z** sonne.

Cling ! Dring ! Zzz !

Alpha-Béa

Monsieur Sergio vient de sortir avec sa boîte et son chien ! Je vous rejoins devant la scène.

Sans perdre une seconde, les justiciers quittent le stationnement et se précipitent vers Alpha-Béa, suivis par les enseignants, la secrétaire, le concierge, le stagiaire et le directeur, qui commence à perdre contenance. À quoi doit-il **encore** s'attendre ?

25

TiRER LES CHOSES
AU CLAIR... DE LUNE

Quand la troupe se présente devant la scène, le public pousse un cri de stupéfaction à la vue d'un être au visage lumineux, sorti d'on ne sait où. Le voilà, **L'EXTRATERRESTRE** dont on parle depuis le début de l'activité!

— Ne vous inquiétez pas! Ce n'est rien que moi, Béatrice! Si je brille dans le noir, c'est à cause de la crème d'Irma Hata.

— **WOW !** s'écrie Gammascara, en ôtant ses gants pour exposer ses mains à la lumière de la lune. Nous aussi, on scintille ! Je ne savais pas que *Ni vue ni connue* avait cette propriété ! **Trop génial !**

Soudain, le chien du suppléant, en combinaison lunaire, se met à japper dans les haut-parleurs, attirant l'attention sur la scène où se tient monsieur Sergio, vêtu lui aussi comme un **astronaute**.

— **Mesdames et messieurs**, nous allons maintenant passer au programme principal de la soirée. Nous sommes chanceux, le ciel est clair, nous pourrons bien voir les **étoiles !**

— **WHOOOO** ! dit Delta-Derby pour l'interrompre, dont l'orteil lui élance. Avant de nous faire voir des étoiles, vous allez devoir répondre à nos questions.

— **OUAIS**, renchérit Alpha-Béa. Pouvez-vous nous montrer vos bras ?

— **QUOI ?**

Un peu sonné par cette demande **BISCORNUE**, l'enseignant relève tout de même ses manches, découvrant ainsi sa peau couverte de taches vertes.

— On le savait, souffle Gammascara. Vous êtes un **EXTRATERRESTRE**.

— **VOYONS !** répond l'ensei-gnant en levant les yeux au ciel.

Il gratte sa peau avec l'ongle de son index, soulevant ainsi des croûtes.

— Comme vous pouvez le voir, c'est juste de la **peinture**. C'est que je suis en train de peindre une des pièces de ma maison pour en faire un studio d'enregistrement. Le fond vert per-met de créer des **EFFETS SPÉCiAUX** en incrustant des images dans une vidéo. C'est comme ça que, dimanche dernier, on a tourné le petit film dans lequel jouait votre enseignante, au début de la soirée.

Au milieu de la foule, madame Nathalie sourit et hoche la tête devant la caméra. Monsieur Sergio poursuit :

— Je l'ai d'abord filmée dans le studio devant **un mur vert**. Ensuite, grâce à des images trouvées sur le Web, j'ai ajouté à mon film un ciel étoilé et une fusée.

La tension tombe dans la foule. Quant au directeur, il se félicite d'avoir engagé cet enseignant plein de ressources et de talent. Mais Alpha-Béa ne se laisse pas étourdir par ces explications, qui lui semblent **trop simples**.

— Qu'est-ce que vous dites de ça ? dit-elle en exhibant le **mystérieux** document qu'elle a trouvé dans le corridor, mercredi.

Monsieur Sergio regarde le document, bouche bée.

— Ce n'est pas tout, ajoute l'espionne en s'adressant directement à la caméra. En allant livrer le journal chez monsieur Sergio, Delta-Derby a entendu des sons **BIZARRES**, en plus de voir des lumières colorées à travers l'une des fenêtres de sa maison.

— Il ne faudrait pas oublier le météorite qui vous sert de porte-clés, dit à son tour Bêtabidule.

La foule est stupéfiée par ces nouvelles révélations.

— Donc, reprend Alpha-Béa, est-ce que ce document est un **mode d'emploi** pour réparer un vaisseau ? Le plan de réaménagement de notre école en base spatiale ? En tout cas, vous et votre chien, vous semblez prêts à voyager dans l'espace, avec vos costumes…

L'enseignant regarde les justiciers, médusé.

— **Vous m'espionnez ?** Ce n'est pas bien. Mais je vais quand même répondre à vos questions. Tout d'abord, mon porte-clés a été fait à partir d'une pierre crachée par le volcan Agung, situé sur l'île où je suis né, c'est-à-dire Bali. Voilà pour mes origines.

Le suppléant tourne ensuite sur lui-même et expose son chien à la caméra en expliquant qu'il a cousu lui-même leurs costumes en prévision de la grande nuit d'observation des étoiles.

— Eh oui… parce que je suis passionné par l'espace, la couture et la création de vêtements !

— **OUAF ! OUAF !** fait Pluton avant de lécher son maître au visage.

Les **4Z** échangent des regards effarés. Monsieur Sergio enchaîne :

— Quant au document que vous avez trouvé, il s'agit d'une partie perdue de la partition que j'ai écrite exprès pour la soirée et que j'interpréterai sur…

Le suppléant tire sur une nappe noire qui recouvrait un objet posé sur une table, une petite boîte sur le devant de laquelle sont disposés des boutons. De plus, **une antenne** se dresse sur un côté, alors que, sur l'autre, on peut voir une tige métallique en forme de U.

— C'est comme ça que vous communiquez avec **L'ÉQUIPAGE** de votre vaisseau ? demande Delta-Derby, suspicieux.

— **Mais non !** C'est un thérémine, un instrument de musique qui est tout à fait approprié pour la célébration d'un télescope !

Monsieur Sergio pose son chien sur le sol. Puis, il fait bouger ses mains en l'air de chaque côté des antennes de son instrument, mais sans les toucher. Des vibrations **ÉTRANGES** se font alors entendre, qui saisissent le public. Le suppléant sourit et dit :

— Les taches colorées que vous avez identifiées sur la partition correspondent au jeu Simon, que mon collègue Martin a modifié pour pouvoir intégrer des jeux de lumière à ma musique.

À l'invitation de monsieur Sergio, le stagiaire monte sur scène et branche son jeu dans la console. Des jets de lumière commencent alors à éclairer simultanément la foule et les champs, levant le voile sur les traces d'atterrissage du **VAISSEAU SPATIAL.**

C'est alors qu'on les voit apparaître,
sortant du labyrinthe et remontant la
colline pour se diriger vers la scène.

☆ Poisson ☆

Les dés sont jetés.
Il est trop tard pour vous cacher
dans les abysses.
Faites le vœu que tout
se termine pour le mieux.

ILS ARRIVENT !

Bêtabidule lance **BÊTAMOUCHE** à la rencontre des inconnus, trois pour être plus précis, vêtus d'habits lumineux.

— **Regardez !** s'écrie l'agent secret en montrant l'écran de son cellulaire à l'objectif du caméraman.

La foule retient son souffle, les yeux rivés à l'écran géant, observant l'avancée des trois inconnus qui se rapprochent dangereusement de la scène.

Subitement, un spectateur s'écrie :

— Mais c'est… c'est…

— Oui, mesdames et messieurs, dit monsieur Sergio, vous avez reconnu monsieur Roland Artiso, créateur du **grand labyrinthe** situé derrière nous. Monsieur Artiso, venez me rejoindre pour nous parler de votre œuvre !

L'homme monte sur scène et prend le micro.

— Je l'ai intitulée *Le capteur de rêves étoilés*. Je me suis inspiré de ce qu'on appelle le *land art*, en créant, avec des matériaux naturels, une œuvre qui vivra le temps que les éléments et les végétaux le lui permettront. Le but de mon œuvre était de souligner le **cinquantenaire** de notre télescope, installé en ville grâce à monsieur et madame Terrien-Cinq-Mars, que voici.

Le couple monte à son tour sur scène, souriant à la foule qui l'applaudit chaudement.

— Mesdames et messieurs, bonsoir. Nous étions loin d'être partis dans l'espace, comme le voulait la rumeur ; nous avons passé les dernières années à voyager afin de découvrir les télescopes **du monde entier**. Nous revoilà en ville à l'invitation de monsieur Sergio, et vêtus des œuvres qu'il a créées pour nous, pour célébrer avec vous et observer le ciel en cette belle nuit de juin. Passez une magnifique soirée !

— **Place au spectacle !** crient messieurs Sergio et Martin en prenant place devant leurs instruments.

— HUlilili ! MiP ! MiP ! OUAF ! OUAF !

LA RÉALITÉ A DÉPASSÉ LA FICTION

Par la rédaction de
La Gazette des étoiles savantes

Nous avons vécu l'aventure la plus folle de notre vie, vendredi dernier, à l'observatoire de la ville! La soirée a débuté avec un concert surprise sous les étoiles filantes et s'est terminée peu avant l'aube, avec l'observation des Ariétides.

La Gazette des étoiles savantes

La réalité a dépassé la fiction

Par la rédaction de *La Gazette des étoiles savantes*

Nous avons vécu l'aventure la plus folle de notre vie, vendredi dernier, à l'observatoire de la ville ! La soirée a débuté avec un concert surprise sous les étoiles filantes et s'est terminée peu avant l'aube, avec l'observation des Ariétides.

Vous avez manqué la fête ? Sachez qu'une émission spéciale y sera consacrée à la télé locale. Vous pourrez entre autres admirer notre chère May-Lee, chroniqueuse culturelle, monter sur scène pour rejoindre messieurs Martin et Sergio et interpréter *Espionne sidérale* le nouveau tube d'Irma Hata.

Et que dire de la Gommétoilée qu'on nous a distribuée quand la fête battait son plein ? C'était complètement irréel, surtout quand la foule s'est mise à faire des bulles lumineuses sous les étoiles ! On pourra s'en procurer d[es] aujourd'hui dans toutes les épicer[ies] en première planétaire, sous la ba[n]nière des aliments Stellaire !

Il a bien fallu, toutefois, nous exp[liquer] avec la direction de l'école à la fi[n de] l'activité. Nous souhaitons d'aille[urs] exprimer toutes nos excuses au[x mem]bres du personnel que nous avo[ns] soupçonnés d'être, durant quel[ques] jours, des extraterrestres et des [au]tomates.

Nous avons trop d'imagination[?] Vraiment ? Si vous voulez dév[elopper] votre propre créativité, vous ê[tes] conviés à l'atelier d'arts natu[rels?] donnera cette semaine, à not[re?] [mon]sieur Artiso, l'auteur du C[?]

Vous avez manqué la fête ? Sachez qu'une émission spéciale y sera consacrée à la télé locale. Vous pourrez entre autres admirer notre chère May-Lee, chroniqueuse culturelle, monter sur scène pour rejoindre messieurs Martin et Sergio et interpréter *Espionne sidérale*, le nouveau tube d'Irma Hata.

Et que dire de la Gommétoilée qu'on nous a distribuée quand la fête battait son plein ? C'était complètement irréel, surtout quand la foule s'est mise à faire des bulles lumineuses sous les étoiles ! On pourra s'en procurer dès aujourd'hui dans toutes les épiceries, en première planétaire, sous la bannière des aliments Stellaire !

Il a bien fallu, toutefois, nous expliquer avec la direction de l'école à la fin de l'activité. Nous souhaitons d'ailleurs exprimer toutes nos excuses aux membres du personnel que nous avons soupçonnés d'être, durant quelques jours, des extraterrestres et des automates.

Nous avons trop d'imagination ? Vraiment ? Si vous voulez développer votre propre créativité, vous êtes conviés à l'atelier d'arts naturels que donnera cette semaine, à notre école, monsieur Artiso, l'auteur du *Capteur de rêves étoilés*. Préparez-vous à prendre la clé des champs dans vos prochains cours d'arts plastiques.

Et si vous cherchez des idées, vous êtes invités à admirer, dans le corridor, les soucoupes volantes du groupe 603 et les dessins d'extraterrestres des élèves de tous les groupes. Vous constaterez qu'il y a autant de façons d'imaginer les Martiens qu'il y a d'artistes !

Également, dans ce numéro, ne manquez pas l'horoscope spatial de May-Lee.

Vous souhaitez frissonner ? Lisez la chronique littéraire d'Erby, qui porte spécialement sur les extraterrestres.

Dans cette édition de *La Gazette des étoiles savantes*, vous pourrez par ailleurs voir les photos de l'œuvre de monsieur Artiso, prises par le drone de Louis-Benjamin, en plus de prendre connaissance des expériences qu'ont menées le photographe de votre journal et les élèves du groupe 601 autour de la gravité et des astres. Ainsi, Anouk Jean-Levert a bien voulu partager avec nous une expérience au titre évocateur : *Quand on laisse tomber une brique et qu'on ne retire pas nos pieds, elle tombe dessus, c'est obligé.* Également, Samuel Labosse nous propose *Pourquoi on voit des étoiles quand on se cogne la tête ?* Et, pour finir, *Est-ce que les étoiles filantes réalisent vraiment les vœux ? Je vous le dirai après mon anniversaire*, de Jay de Grandrêve.

Maintenant, rions un peu.

C'est un bébé martien qui demande à sa mère :

— Est-ce que c'est vrai que je suis bizarre ?

— Mais non... Va laver tes sept mains. C'est l'heure du dîner.

Hi ! Hi ! Hi !

Une autre ?

C'est un Martien qui rencontre un autre Martien. Il lui demande :

— Ça va ? T'es vert tout pâle...

— Bah… je ne me sens pas dans ma soucoupe !

Ha ! Ha ! Ha !

****

Avis aux intéressés : un tournoi de Simon aura lieu cette semaine. Pour y participer, inscrivez-vous au local du journal. Bonne chance à tous !

Enfin, comme plusieurs d'entre vous se sont manifestés pour en savoir plus sur Bali et sur l'histoire du télescope de notre ville, nous aurons droit à deux rencontres pendant l'heure du dîner cette semaine. La première sera animée par monsieur Sergio, et la seconde, par monsieur et madame Therrien-Cinq-Mars. On ne s'ennuiera pas dans les prochains jours, promis.

****

Pour terminer, sachez que *La Gazette des étoiles savantes* est là pour enquêter et vous informer sur tous les sujets qui touchent notre école. Alors, si vous avez entendu des rumeurs ou avez été témoins d'un événement dont vous voudriez nous faire part, n'hésitez pas à communiquer avec nous!

ÉPILOGUE

À leur repaire, les **4Z** mettent le **point final** à leur opération.

— Notre mission est terminée, dit tristement Alpha-Béa en écrivant **« AFFAIRE CLASSÉE »** sur la première page de son calepin.

— Mmmm, grogne Delta-Derby. C'est décevant de savoir qu'on n'aura pas de contact avec les Martiens. J'aurais tellement aimé passer à *Impossible, vous dites?*

Le garçon marque une pause.

— Par contre, je suis heureux de savoir que mes parents m'accompagneront dans ma transformation.

— **HEIN ?!?!?!**

— Bien oui, on a découvert que si j'ai si mal aux orteils depuis le début de la semaine, c'est en partie à cause de ma blessure, mais aussi parce que mes espadrilles sont rendues **trop petites !** Mes pieds ont grandi ! On va donc m'acheter de nouveaux souliers !

Les **ZALPHAS, INQUIETS** pendant quelques secondes, éclatent de rire.

Puis, Bêtabidule lâche dans un soupir :

— Avez-vous pensé aux images qu'on aurait pu capter si on avait été pour vrai dans l'espace ?

— Ne t'en fais pas, répond Gammascara. Je suis certaine que tu finiras par trouver le moyen d'y envoyer **BÊTAMOUCHE !** Quant à moi, je rêve toujours de faire comme l'astronaute Chris Hadfield et de chanter, un de ces jours, pour la planète entière. J'ai même commencé à plancher sur une chorégraphie qui **défie la gravité**.

La jeune fille se lève et se met à chantonner, en exécutant des gestes saccadés, un extrait d'une chanson de son idole, *Ballade intergalactique*.

Bronzer vert

Aux confins de l'Univers

Se baigner dans l'immensité

Plonger dans la nuit étoilée

La voilà repartie pour un nouveau numéro ! Sous le soleil, ses barrettes **ornées de zircons** lancent des éclats de lumière.

— Tu brilles tellement, que tu pourrais attirer l'attention de producteurs de l'espace, déclare Alpha-Béa.

Gammascara rit avant de demander :

— Mais… pensez-vous que les extra-terrestres existent **réellement ?** Que c'est véritablement une sou-coupe volante que les Therrien-Cinq-Mars ont vue, une nuit, dans le ciel de la ville ?

— **AH !** dit Delta-Derby avant de se mettre à souffler une mégabulle de Gommétoilée. Je crois que ce dossier relève du département « Mystère et boule de gomme ». **POW !**

Pendant que l'agent en quête de secret décolle doucement la bulle qui s'est écrasée sur son visage, Alpha-Béa referme son calepin.

— Il faudrait aller explorer le ciel de temps à autre avec le télescope. **On ne sait jamais** ce qu'on pourrait y voir. D'ailleurs, un jour, je le sens, l'école et la ville auront véritablement besoin de nous. Aussi, il faut **RESTER AUX AGUETS**. Alors, est-ce qu'on continue à chasser les énigmes ?

En guise de réponse, les apprentis agents secrets opinent de la tête et tendent le poing :

– ALPHA !

– BÊTA !

– GAMMA !

– DELTA !

TABLE DES MATIÈRES

DANS LA COLLECTION
Slalom

 **POLICIER**

 **ENQUÊTES**

 **SUSPENSE**